La fiancée
à la robe verte

Aubrey Flegg
Illustrations d'Adrien Chapuis

La fiancée à la robe verte

RAGEOT

Cet ouvrage a paru sous le titre
Wings over Delft.
The O'Brien Press Ltd, Dublin, Irlande.

Traduction : Elizabeth Barfety.

ISBN 978-2-7002-3314-8
ISSN 1951-5758

© Aubrey Flegg, 2004.

© RAGEOT-ÉDITEUR, pour la version française, PARIS, 2007.
Loi n° 49-956 du 16-07-1949 sur les publications
destinées à la jeunesse.

Chez madame Haitink

– Je t'en prie, Anneke, laisse-moi maintenant!
Je n'ai pas besoin d'un chaperon quand je vais
poser pour mon portrait!

Louise Eeden observa sa vieille nourrice, par-
tagée entre l'affection et l'exaspération.

– Je parcours librement les rues de cette ville
depuis que j'ai dix ans, et voilà que tu te mets à
me couver!

La porte de la maison du maître peintre Jacob
Haitink était restée ouverte, pendant qu'une
minuscule bonne était partie chercher sa maîtresse. Anneke jetait des coups d'œil à l'intérieur,
avançant sa tête à petits coups comme une poule,
et son nez se plissait devant la persistante odeur
de bière éventée qui s'élevait du bar occupant le
rez-de-chaussée.

– Madame Haitink sera là dans quelques instants, elle me mènera à l'atelier. Tu n'as pas besoin de rester. Pourquoi ne ferais-tu pas un saut à l'Ancienne Église en rentrant à la maison ?

Mais Anneke, comme nombre de protestants de Delft, avait une opinion tranchée à propos de la fréquentation du temple.

La vieille femme secoua la tête pour manifester sa désapprobation.

– Ne me prends pas pour un de ces catholiques, qui se rendent à la maison de Dieu comme dans une boulangerie ou une boucherie. Je reste ici. Les choses sont... différentes pour toi maintenant, Louise. Et avec ta pauvre mère malade, j'ai d'autant plus de responsabilités.

– Non, Anneke ! Rien n'est différent, tout ça c'est dans ta vieille caboche. Mère se porte mieux ces jours-ci.

Des bruits de pas résonnèrent dans l'escalier et Louise posa sa main sur le bras d'Anneke.

– Voici madame Haitink. Je te raconterai tout en rentrant.

Elle ôta ses sabots, les rangea soigneusement devant la porte, enfila les chaussures d'intérieur qu'Anneke avait apportées, puis se pencha et embrassa le visage ridé sous le sévère bonnet. Elle se dirigea ensuite vers Mme Haitink.

Louise fut surprise de découvrir que le maître, qu'elle savait être un vieil homme, avait une épouse si jeune, trente ans tout au plus.

– Vous êtes Louise, n'est-ce pas ? Je suis Kathenka Haitink.

Louise commença une révérence, mais la jeune femme rit et passa un bras autour de sa taille.

– Gardez cela pour le maître ! Suivez-moi. Attention aux escaliers, ils sont assez raides. Et ne vous inquiétez pas, je m'occuperai de votre chaperon, ajouta-t-elle.

– Inutile ! haleta Louise en gravissant les marches.

– Comment cela ? questionna Mme Kathenka, étonnée.

Elles étaient parvenues sur le palier du deuxième étage et s'arrêtèrent pour reprendre leur souffle.

– Non, c'est seulement que le mot « chaperon » implique…

Louise tenta de sourire, puis se tourna pour regarder la place du marché par la fenêtre. À travers le verre dépoli, la vue ressemblait à une peinture à l'huile, mais une peinture animée. De haut, les gens paraissaient tout petits, en train d'installer leurs étals.

Le silence se prolongea.

– Qu'est-ce que cela implique ? demanda doucement Mme Kathenka.

C'était une invitation à parler plus qu'une indiscrétion. Louise sentit sa gorge se serrer et pressa son visage contre la vitre pour que sa coiffe en lin dissimule son visage.

— Tout est ma faute, murmura-t-elle. J'ai laissé croire à tout le monde, même à ma pauvre mère, que Reynier et moi nous nous entendions bien. Et soudain il semble que nous soyons fiancés.

— Et vous n'êtes pas sûre de vos sentiments pour lui... Peut-être y a-t-il quelqu'un d'autre dans votre cœur?

Louise secoua la tête.

— Non, il n'y a personne. Je suis parfaitement heureuse en compagnie de mon père. Nous sommes si proches, lui et moi. Je croyais qu'il savait que Reynier ne représentait rien à mes yeux.

Elle sourit tristement avant d'ajouter :

— Je pensais qu'il le sentirait instinctivement... Mais comment le pourrait-il?

Elle se retourna et appuya son dos contre la vitre avant d'inspirer profondément.

— Quand nous étions enfants, Reynier et moi étions voisins. Les familles de potiers restaient ensemble en ce temps-là, même si, en affaires, la concurrence était féroce. Nous avons grandi ensemble, puis nous sommes devenus camarades de jeux. Quand il était là, les autres garçons me laissaient tranquille. Bref, nous sommes de vieux amis. Sa présence me permet d'échapper aux jeunes hommes élégants attendant à la porte, leur chapeau à la main, et demandant à voir mademoiselle Eeden. J'ai des choses plus intéressantes à faire que d'être courtisée.

— Et il est tombé amoureux de vous?

– Oh non! Regardez-moi, répondit Louise en souriant tristement. Peut-être croit-il être amoureux de moi, mais je ne suis pas assez séduisante pour ça. Il est beau, il pourrait avoir la plus jolie fille de Delft. Ce n'est pas lui qui a lancé ces rumeurs. C'est… je ne sais pas… les commères. Vous savez, je suis un bon parti.

Qu'est-ce qui lui prenait de raconter tout ça à une inconnue? Peut-être était-ce parce que Mme Kathenka lui rappelait sa mère des années plus tôt, quand elle était en bonne santé.

– Et quel est le nom de famille de ce Reynier?

– De Vries.

Louise remarqua que son hôtesse avait brièvement retenu son souffle.

– Je vois, se reprit Mme Kathenka. C'est l'alliance parfaite : les faïenceries Eeden, les meilleures, alliées aux faïenceries de Vries – les plus grandes. Quelle union! Mais si vous ne la souhaitez pas, rien ne vous y oblige!

– Si, madame. Je me suis cachée derrière Reynier toute ma vie. Je ne lui ai jamais dit non. Je ne sais comment, mais j'ai réussi à faire croire à mon père, et parfois à moi-même, que Reynier me conviendrait. Il me demande en mariage depuis que nous sommes enfants, c'est devenu un jeu. Je réponds « Pas maintenant », comme si c'était une boutade. Mais tout à coup, on dirait que la ville a décidé à notre place. Tout le monde parle de nous comme du couple idéal. Reynier est aussi embarrassé que moi par cette affaire. Il est charmant, comme toujours, assure qu'il veut m'épouser, même si je ne dois pas me sentir obligée. Il parle même de partir un mois en voyage.

— C'est une belle alliance pour lui, il y gagnerait les faïenceries Eeden.

— C'est la raison de son départ, il trouve ces rumeurs déshonorantes. Il est si honnête…

Elle voulut s'éloigner, mais Mme Kathenka lui barrait le chemin.

— Et vous ne voulez pas de lui ?

Louise fit non de la tête.

— Lui avez-vous jamais dit oui ?

— Madame, je n'ai jamais prononcé ces mots.

— Je ne parle que d'un mot, mon enfant, le mot oui.

— Je sais que vous essayez de m'aider, madame, reprit Louise d'un ton amer. Seulement, voyez-vous, le pot est cuit maintenant, on ne peut plus en récupérer l'argile. Il ne reste qu'à le recouvrir d'un joli vernis : le mariage.

Elle haussa les épaules, un sourire désabusé aux lèvres.

— Il en sera ainsi. Reynier aura une femme très ordinaire, mais il héritera des faïenceries Eeden à la mort de mon père. Je vivrai dans le velours et la soie avec, comme mari, un bien joli pot !

Elle aurait voulu se jeter dans les bras de cette femme et pleurer tout son saoul, toutefois Mme Kathenka ne l'entendait pas de cette oreille. Elle plongea son regard dans celui de Louise.

– Ne pleurez pas, mon enfant, vous auriez les yeux rouges. Je vous emmène voir le maître maintenant. Il est mon fardeau personnel ! Mais je vous assure que votre situation peut s'arranger, aussi vrai que je m'appelle Kathenka Haitink.

Elle se retourna et gravit énergiquement l'escalier étroit.

– Madame, vous ne raconterez à personne ce que je vous ai dit ? lui lança Louise.

– Je ne dirai rien à personne, même si je pense que vous devriez en parler.

Louise acquiesça. La femme l'examina, puis sourit.

– Voilà qui est mieux. Un bon conseil, ne vous laissez pas faire par le maître. Il peut être aussi têtu qu'une mule, mais il a un cœur d'or.

Un maître étrange

Ce matin-là, le maître s'était montré odieux avant que la jeune fille dont il devait réaliser le portrait arrive.

– Je te parie qu'elle sera laide comme un pou! avait-il déclaré à Pieter, tandis que ce dernier l'aidait à enfiler sa blouse.

Pendant un instant, il eut l'air d'un épouvantail avec sa blouse aux manches longues ouvertes des poignets jusqu'aux coudes pour ne pas entraver ses mouvements.

– Tu vois cette blouse, Pieter? Elle appartenait à van Rijn. Il me l'a donnée lorsque nous étions étudiants, à Leyde.

– Oui, maître.

Non seulement Pieter connaissait cette histoire, mais il l'avait déjà entendue une bonne douzaine de fois. Et il soupçonnait fort la vieille crapule d'avoir volé la blouse de l'artiste à présent renommé.

– Un peintre rugueux, ce van Rijn. Pas fin pour un sou !

Pieter écoutait ce refrain familier tout en fouillant dans la commode pour y dénicher son béret.

– Au moins, ses peintures ne se solidifient pas par manque d'usage, murmura Pieter pour lui-même.

– Que dis-tu ?

– Il paraît qu'il est très riche, improvisa-t-il.

– Un homme comme moi ne devrait pas être obligé de peindre pour manger, déclara le maître en levant les bras au ciel. Je devrais avoir un protecteur.

Pieter sourit, en se rappelant les paroles de Mme Kathenka : « Attention, Pieter. Si tu laisses le maître s'échapper de l'atelier avant que cette jeune fille arrive, tu devras chercher un autre travail pour occuper tes soirées. »

Pieter aimait bien Kathenka. Elle avait à peine la moitié de l'âge du maître et pourtant, telle une mère, le maternait et le taquinait. C'était elle qui subvenait aux besoins du foyer, grâce à l'auberge qu'elle tenait au rez-de-chaussée. Comme elle donnait sur la place du marché, souvent bondée, les affaires marchaient bien. Pieter y travaillait souvent le soir, et il était ravi de gagner ainsi quelques pièces supplémentaires.

– Et tu verras qu'elle n'aura rien dans la tête ! grommela le maître.

Pieter ne lui prêta pas attention. Il avait repéré le béret du maître sur le sol, où ce dernier l'avait jeté une semaine auparavant, et l'avait ramassé.

– Que diable fais-tu donc avec mon béret ? Donne-le-moi ! cria le maître, en l'arrachant des mains de Pieter. Un bien précieux chapeau que celui-là.

Il marcha rapidement jusqu'à la fenêtre et fit mine de regarder à l'extérieur, alors qu'en réalité il étudiait son reflet dans la vitre. Il posa le béret blanc de biais sur sa tête.

Tout en gardant un œil sur lui pour s'assurer qu'il ne tentait pas de s'échapper, Pieter poursuivit les préparatifs de la séance de pose. Depuis plusieurs semaines il travaillait sur une nouvelle toile, l'enduisant de colle, de chaux, puis de couches d'enduit de gypse provenant de Paris. La dernière couche d'enduit avait été si bien lissée qu'on aurait cru de l'ivoire. De la commode où étaient entreposés les peintures, les huiles et les pinceaux, il sortit une boîte de fusains et la plaça à côté du chevalet. Lors d'une première séance de pose, on n'utilisait pas les couleurs.

Le maître se tenait toujours devant la fenêtre et regardait la ville. Il avait cessé de maugréer. Pieter connaissait par cœur la vue, qu'il avait contemplée des heures en attendant que la peinture, la colle ou l'enduit sèchent. À travers le verre grossier des carreaux sertis de plomb, les toits rouges de la place du marché formaient des taches surprenantes, comme s'ils se reflétaient dans de l'eau. Le soleil bas du printemps se déversait de l'est dans la pièce, révélant les poussières qui dansaient dans l'air autour du vieil homme.

Pieter fit une grimace dans son dos. Mais quand le maître parla de nouveau, il n'y avait plus trace d'irritation dans sa voix.

— Pieter, tu ne devrais pas rester enfermé ici avec un vieux grincheux. Tu devrais être dans les champs au-delà des remparts, à trousser les filles.

Comment réagir face à un tel homme ? Un instant, il tournait comme un ours en cage, et l'instant suivant il invitait aux aventures galantes ! Lorsqu'il le surprenait ainsi, Pieter l'appréciait.

Il y avait presque quatre ans qu'il était à ses côtés. Il avait commencé son apprentissage à quatorze ans. Bientôt, il devrait travailler pour un autre peintre, acquérir de nouvelles compétences et, si possible, gagner assez pour payer son adhésion à la guilde de Saint-Luc. Alors seulement, il pourrait enseigner et vendre ses tableaux signés de son nom. Quant à courir les filles… Dieu l'avait créé trop anguleux et osseux pour qu'elles lui accordent la moindre attention.

— Je le savais ! s'exclama soudain le maître. Elle est laide comme un pou !

Le vieil homme s'était cogné la tête contre la vitre et se frottait le front en désignant la rue. C'était absurde, il ne pouvait pas voir correctement à travers ces carreaux déformants.

– Sortons d'ici, mon garçon, supplia-t-il. Le printemps nous appelle : toi dans les champs, et moi à l'auberge !

Pieter secoua la tête. Mais quelque chose lui disait que cette fois-ci, le peintre ne jouait pas sa comédie habituelle. Il essuyait ses mains moites sur son pantalon et gémissait. Soudain, il comprit.

– Vous l'avez vue, accusa-t-il, et vous avez peur !

– Évidemment ! Et si tu voyais plus loin que le bout de ton nez, je te la ferais peindre toi-même. Je vais te dire, ajouta-t-il d'un ton de conspirateur, nous allons l'effrayer ! Observe-moi bien.

– Non, vous…

Juste à ce moment-là, on frappa à la porte et Mme Haitink apparut.

– Voici mademoiselle Eeden, dit-elle en s'inclinant légèrement.

Louise pénétra dans la pièce, cherchant le maître des yeux. Puis elle fit une révérence elle aussi, presque exagérée. Du coin de l'œil, Pieter vit Mme Kathenka lancer un regard menaçant à son époux. Il scruta la jeune fille avec intérêt. Sa robe était couverte par une cape simple, son visage ordinaire. Elle avait baissé les yeux.

Fausse modestie, pensa-t-il. Il avait vu des dizaines de jeunes filles riches ou de dames élégantes entrer dans cette pièce ; elle était comme les autres. Le maître ferait un portrait honorable et serait grassement payé. Rien ne justifiait son agitation.

Mme Kathenka referma la porte et Pieter laissa tomber un fragment de lapis-lazuli sur sa table à broyer. Le travail devait continuer.

Attirée peut-être par l'éclat bleu de la pierre fine, la jeune fille releva les yeux. Elle ne le fixa qu'une seconde – un éclair fendant le ciel – mais l'espace de cette seconde, Pieter comprit ce qui tourmentait le maître.

Plus tard, il expliquerait que la jeune fille chatoyait, comme une lumière soudaine sur une étoffe de soie, et que son corps était tout à coup devenu transparent, pour révéler une autre personne cachée à l'intérieur de sa coquille, emplie d'une curiosité farouche, éclatante de vie. Mais alors il serait amoureux d'elle...

Deux ans auparavant, Jacob Haitink avait demandé à Pieter de peindre un verre vide, et il avait failli devenir fou.

« Vois-tu Pieter, avait dit le maître lorsqu'il y était enfin parvenu, ma seule crainte est qu'un jour une personne entre dans cette pièce et qu'elle soit vierge de toute vanité, qu'elle soit aussi transparente que ton verre vide. C'est le portrait que je ne pourrai jamais peindre. Car nous ne peignons pas autre chose que la vanité d'une personne. Nous la caricaturons, révélant son orgueil caché, nous la flattons. Mais un modèle dépourvu de vanité est aussi intangible que ton verre vide. Je te le demande instamment, si une telle personne se présente, empêche-moi de la peindre, car cela me détruira. »

Pieter regarda de nouveau la jeune fille, mais la vision était passée. Comment peint-on quelque chose qui n'a pas de forme apparente, de contour, qui n'existe que par les multiples reflets et réfractions de la lumière ? Cette fille pouvait-elle réellement être la Némésis du maître, sa fin ?

En débouchant dans l'atelier, Louise fut éblouie par la vive lumière qui baignait la pièce. Elle était plus grande qu'elle ne l'avait imaginé. Le plafond était voûté, suivant la ligne des poutres qui soutenaient le toit. Elle eut l'impression d'être entrée dans un bateau retourné. La lumière tombant des lucarnes de la façade nord éclairait la pièce. Des rideaux fermaient les fenêtres donnant à l'est, excepté une d'où provenait un rayon de soleil matinal. La femme du maître fit une révérence, mais Louise ne distingua pas à qui elle s'adressait. Puis elle le vit...

Le maître se tenait exactement au centre du rayon de lumière. Il avait pris une pose dramatique, un bras levé comme s'il s'apprêtait à faire une déclaration. Quand il fut sûr qu'elle l'avait vu, il ôta son ridicule béret blanc, le plaça devant sa poitrine et s'inclina. Louise lui retourna une longue révérence. En se redressant, elle entendit Mme Kathenka fermer la porte derrière elle. Elle devrait donc se débrouiller seule à présent. Le maître se dirigea vers elle, son chapeau balayant le sol.

– Bienvenue, mademoiselle Eeden! rugit-il en s'inclinant de nouveau. Venez vous asseoir, vous ôterez vos vêtements plus tard, il fait encore frais…

Louise cligna des yeux. Peut-être aurait-il été préférable d'avoir un chaperon? Elle eut une pensée pour la pauvre Anneke et ses craintes. Pourtant, elle ne se sentait pas en danger. Du coin de l'œil, elle aperçut un éclair bleu, comme un martin-pêcheur volant au ras de l'eau du Schiekanaal. Elle se retourna et découvrit un garçon un peu plus âgé qu'elle, qui se tenait dans un coin de l'atelier. Ce devait être son apprenti. Et de nouveau cette lueur bleue! Elle provenait d'un éclat de pierre qu'il tenait dans sa main.

Le garçon portait un regard sévère sur son maître. Pourtant lorsqu'il s'aperçut qu'elle l'observait, il sourit, d'un sourire large et généreux. Louise pensa d'abord qu'il était étonnamment laid. Comme taillé dans un bout de bois par une lame émoussée. Mais elle se sentit pour lui une irrésistible affinité. Elle aurait voulu lui rendre son sourire, toutefois elle était envahie par la timidité. Elle se détourna en rougissant et vit que le maître époussetait une chaise avec son béret pour qu'elle puisse s'asseoir.

– Asseyez-vous, mon enfant, nous allons bavarder un peu.

En s'installant, elle sentit la soie de sa robe, à laquelle elle n'était pas encore habituée, crisser sous sa cape. Les odeurs étaient étranges et excitantes. Derrière le chevalet avec une toile au châssis de bois tourné vers elle, il y avait une chaise, sûrement pour le maître, ainsi qu'une table supportant un pot bleu en faïence contenant des pinceaux de différentes longueurs et épaisseurs, des bouteilles vertes remplies de liquides, des jarres en céramique et des objets qui ressemblaient à de petites vessies, toutes soigneusement fermées.

— Je vais avoir besoin de plus de plomb, Pieter, dit le maître en agitant les pinceaux et en tapotant les petites vessies.

Il replaça son béret, l'enleva, le secoua, puis le remit. Il donnait l'impression d'être continuellement en mouvement.

— Pieter, où est ma palette ?

Soudain, comme s'il se rappelait les bonnes manières, il ajouta :

— Mademoiselle Louise, je vous présente mon apprenti, monsieur Pieter Kunst.

Le garçon s'inclina.

— Eh bien… poursuivit le maître. Et ma palette ?

— Elle est sur la table, à sa place habituelle, répondit le garçon d'un ton résigné. Mais, maître, vous ne peignez jamais le premier jour.

— Bien sûr que si !

Louise se demandait si l'artiste plaisantait ou s'il était sérieux. Agacé, il regardait son pouce en essayant d'y ajuster sa palette. Il sourit quand le doigt réapparut.

— Et maintenant, un pinceau, dit-il en choisissant un long pinceau fin dans le pot et en mimant une passe d'escrimeur.

Louise ne savait pas si elle devait sourire ou non. Son humeur semblait aussi changeante que du vif-argent. Tout à coup il se tourna vers elle et ouvrit les bras comme pour l'implorer.

– Mademoiselle Eeden, vous n'avez sûrement pas envie de rester cloîtrée ici avec un vieux peintre fou et son imbécile d'apprenti ! Regardez comme le soleil brille ! Vous ne préféreriez pas être dehors ? Revenez un autre jour, quand…

Pieter toussota. Le maître se tourna pour le foudroyer du regard, puis lança brutalement :

– Continue ton travail, toi !

– Oh, non, je suis heureuse d'être ici, l'assura Louise. Vraiment. C'est très intéressant.

Sa réponse sembla surprendre le peintre et il haussa les sourcils.

– Très intéressant, vraiment ? Tu entends, Pieter ? Et toi qui voulais un jour de congé pour aller courir les jeunes filles dans les champs. Voilà une bonne leçon pour toi, une jeune fille qui est intéressée par notre travail !

Louise se sentit rougir. Elle n'avait pas voulu attirer des ennuis au garçon. Mais le maître souriait à présent, comme s'il venait de régler ses comptes. Il reposa sa palette, laissa tomber le pinceau dans le pot et se tourna vers elle. Lorsqu'il souriait des petites rides illuminaient le coin de ses yeux.

– Ainsi je dois peindre votre portrait, mademoiselle Louise Eeden ?

– Oui, s'il vous plaît, maître. C'est ce que mon père désire.

– Mais pas vous ?

– Oh si, c'est également mon désir.

Louise était soulagée qu'il soit devenu sérieux, cela lui facilitait les choses. Elle avait répété ce qu'elle voulait lui dire, car elle avait une idée précise de la façon dont elle souhaitait être représentée.

– Maître, lança-t-elle. Je connais vos peintures. C'est pour cela que je voulais que ce soit vous qui fassiez mon portrait. Je ne suis pas noble, et je ne suis pas assez belle pour… être admirée. Je veux seulement être peinte telle que je suis.

– Mais ma chère, c'est la nature même d'un portrait.

Elle se sentait paniquée à présent. Elle savait ce que tout le monde attendait, cela faisait partie du complot, le portrait d'une héritière à la veille de son mariage. Elle ne supportait pas cette idée, toutefois comment pouvait-elle l'avouer sans offenser personne ?

– Bien entendu, maître, mais, comment dire… Je ne veux pas ressembler à une femme noble et avoir l'air d'avoir un citron dans la bouche.

Comme les sourcils du peintre se fronçaient, elle se hâta de poursuivre.

– Vous souvenez-vous du portrait que vous avez fait du mendiant de la porte du béguinage ? J'aime beaucoup ce portrait, parce qu'il vit. Moi aussi je veux vivre dans mon portrait. Peignez-moi en train de jouer du luth ou de regarder dans le télescope que mon père et moi construisons. Personne n'a envie de regarder mademoiselle

Louise Eeden assise, aussi raide qu'un perroquet empaillé. Peignez-moi simplement comme « La fille à la robe verte ».

Louise était à court de mots. Ne comprenait-il pas ?

– Non, non, non, mon enfant. Ce n'est pas un portrait dont vous parlez, c'est ce qu'on appelle un « tronie ». C'est un tableau que l'on peint quand on manque d'argent. Pieter et moi avons peint ensemble ce tableau du mendiant, n'est-ce pas, Pieter ? Nous lui avons donné quelques sous pour qu'il pose à l'atelier, puis nous avons passé quinze jours à chasser les puces qu'il avait apportées ! Les gens qui achètent des tronies veulent le mendiant sans les puces ! Votre père est le meilleur faïencier de Delft, reprit-il en s'inclinant, un membre de la guilde de Saint-Luc. Il n'accepterait jamais un simple tronie de sa fille. Il faut respecter les us et coutumes. Nous savons tous pourquoi un père désire un portrait de sa fille à un tel moment. Cela permet d'arrêter le temps, de montrer qu'il a élevé une belle jeune femme. Pouvez-vous l'imaginer acceptant un tableau représentant « Mademoiselle Eeden habillée comme la fille d'un marinier à l'occasion de ses fiançailles avec… »

– Non ! cria Louise, se surprenant elle-même. À l'occasion de rien du tout !

Elle s'était presque levée, le souffle coupé. Elle devait mettre un terme une fois pour toutes à cette histoire. Mais quelque chose avait changé dans l'attitude du maître. Il était penché en avant, une main tendue devant lui comme pour la retenir. Son pinceau alla rouler sur le sol. Elle se demanda s'il avait un malaise. Mais il s'exclama d'une voix rauque et pressante :

– Ne bougez plus !

Elle leva les yeux et son regard plongea dans celui du garçon à la pierre bleue. Pendant ce qui sembla durer une éternité, personne ne bougea.

Tap tap… Tap tap… Tap tap… Un pigeon s'était posé sur le rebord de la fenêtre et frappait à la vitre. Le bruit brisa la magie de l'instant. L'oiseau scrutait l'intérieur de l'atelier. Le maître soupira.

– Pieter, nourris notre ami, veux-tu ?

Le garçon traversa la pièce, ouvrit la fenêtre et répandit des graines sur son rebord. On entendit un roucoulement, puis le bruit d'un bec picorant sur du bois. Louise regardait l'oiseau, perplexe. Comment avait-elle osé ? On ne discute pas avec un maître. On ne lui dit pas comment faire son métier. Il s'approchait d'elle à présent. Il allait lui serrer poliment la main et tout serait fini. Elle fut surprise de sentir les doigts du peintre glisser doucement sur sa joue, et tourner délicatement son visage vers lui.

– Ne craignez rien, ma jolie. Je vous peindrai comme vous le désirez.

– Comme le mendiant de la porte du béguinage ?

– Je vous peindrai pour que vous résistiez au temps, ma belle, aussi longtemps que cette toile et ces couleurs.

Elle leva les yeux vers le vieil homme qui ajouta :

— Cela risque d'être douloureux. On ne devient pas un mendiant en dormant dans un lit de plumes.

— Et vous, maître ? demanda-t-elle, inquiète de la douleur qu'elle lisait sur son visage.

Il eut un petit sourire et soupira :

— Moi ? Moi, cela pourrait bien me détruire.

Il se pencha pour ramasser le pinceau qu'il avait laissé tomber.

— Dans un instant, chère mademoiselle Louise Eeden, déclara-t-il en se redressant, nous commencerons. J'ai aperçu le mendiant en vous, mais je vais devoir le réveiller. Écoutez-moi bien maintenant. Si je vous demande à nouveau de garder la pose, vous devrez vous y efforcer, ne pas bouger d'un centimètre, contrôler chaque muscle. Si vous remuez moindrement, je vous peindrai avec onze citrons dans la bouche et je vous marierai avec Pieter ici présent !

Il tendit son pinceau telle une épée et en menaça le garçon. Le clown en lui avait repris le dessus.

Galilée contre Aristote

– Ainsi, mademoiselle Louise Eeden, vous souhaitez que je vous peigne comme nous avons peint le mendiant de la porte du béguinage, lança le maître en regardant le plafond. Et votre père ? Si sa fille refuse de poser pour moi comme il sied à une jeune fille, saura-t-il apprécier un tableau qui la représente ? Et, plus important, paiera-t-il ?

– Bien sûr, il paiera ! Et je suis sûre qu'il ne désire pas un portrait officiel. Je crois que l'idée de faire réaliser un portrait de moi lui est venue lorsqu'il a acheté la soie pour ma robe.

– Ah ! La fameuse robe en soie… Montrez-la-nous. Quand votre père m'en a parlé, je me suis senti accablé.

Il s'approcha d'elle.

– Votre cape… puis-je vous aider ?

Louise détacha sa broche et il ôta la cape de ses épaules avant de reculer d'un pas. La soie tomba en cascade autour d'elle.

– Ah ! souffla le maître tandis que cessait le broyage des pigments, en tournant autour d'elle. De la soie verte de Chine, de la soie de Cathay ! Achetée directement sur le bateau, m'a dit votre père. Tu la vois, Pieter ? Un véritable défi ! Savez-vous combien il est difficile de peindre le vert ? Il n'existe pas de couleur verte que nous puissions poser sur notre palette. Les teintes de cette robe devront être élaborées couche après couche. Pieter, apporte-moi un éclat du lapis-lazuli que tu es train de broyer.

Le garçon s'exécuta. Alors c'était cela, l'éclair bleu qu'elle avait aperçu au moment où elle était entrée dans la pièce ?

– Magnifique, murmura-t-elle.

– Vous ne nous demandez pas pourquoi nous utilisons du bleu et non du vert ? interrogea le maître.

– Vous venez de dire qu'il n'existait pas de peinture verte, maître, cela signifie que vous devrez utiliser du bleu et du jaune. Mais le jaune que vous utiliserez devra être clair et translucide, pour que les zones de bleu puissent transparaître.

– Écoute-la, Pieter ! s'exclama maître Haitink avec une surprise non feinte. Cette jeune dame en sait beaucoup trop sur notre métier. Ne serait-elle pas une espionne envoyée par cette crapule de Fabritius pour découvrir nos secrets ? Nous devons être prudents.

– Vous oubliez, maître, lui rappela son apprenti, que vous n'avez dit à personne, pas même à moi, comment vous composez vos jaunes. C'est votre ultime secret.

Le garçon jongla avec la pierre bleue avant de retourner dans son coin.

– Mon ultime secret, en effet ! Le jour où tu auras terminé ton apprentissage, Pieter, je te le confierai.

Il recula, en regardant Louise avec admiration.

– Mademoiselle Eeden, laissez-moi vous peindre comme vous vous tenez en cet instant. Je déposerai une couronne sur votre tête et un sceptre dans votre main.

– Et onze citrons dans ma bouche ? interrogea la jeune fille en riant.

– Asseyez-vous, mon enfant. Laissez-moi vous préparer. J'ai eu une vision que je dois retrouver.

Louise s'assit, et les mains du peintre voletèrent autour d'elle, arrangeant les plis de sa robe, faisant bouffer les manches en lin blanc de son chemisier, à l'endroit où elles émergeaient du corsage rigide.

– C'est donc cela la dernière mode ? demanda-t-il en soulevant la toile de lin blanche du bonnet pour regarder son chignon retenu par deux rangées de petites perles. Avec votre permission…

Et il défit une des rangées de perles afin que tombent quelques boucles.

— Voilà, elles encadrent agréablement votre visage.

Puis il se redressa et fronça les sourcils.

— Pieter, dit-il, il y a trop de lumière.

Il tapa du pied avec impatience pendant que le garçon tirait les rideaux pour atténuer la lumière matinale. La pièce s'assombrit. L'apprenti rejoignit son maître et ils détaillèrent tous deux la robe.

— Ne voulez-vous pas davantage de lumière ? demanda Louise, déçue et mal à l'aise sous leurs regards scrutateurs.

— Oh non, ce n'est pas la quantité de lumière qui importe, mais sa qualité. Observez votre robe à cet endroit, et vous comprendrez pourquoi. Quelle couleur voyez-vous ?

Louise baissa les yeux, perplexe.

— Quelle couleur ? Du vert.

— Oui, du vert, mais quel vert ? Voyez ici, dans les plis.

Il désigna un pli profond qui s'ouvrait à partir de son genou droit.

— En bas de la robe, où il y a moins de lumière, le vert est foncé. Et maintenant, si l'on remonte le long du pli, là où la lumière est plus importante…

Louise suivait son doigt. On aurait dit un pinceau magique laissant sur son passage une succession continue de différentes nuances de vert.

– Oui, maître! s'écria-t-elle, ravie. Comment n'avais-je jamais remarqué qu'il existe des milliers de verts?

– Ah, ah! C'est parce que les gens ne savent pas voir les choses. Et regardez le sommet de ce pli dont la lumière se reflète dans l'ombre presque noire du pli suivant! C'est de la lumière réfléchie. C'est pour cela que Pieter a fermé les rideaux de l'atelier. À présent que la lumière ne vient que du nord, il n'y a plus de couleur dominante. Chacune d'elles est en interaction avec les autres.

– Père dit que toutes les couleurs du monde se cachent dans un seul rayon de lumière. Qu'un arc-en-ciel naît de la réflexion de la lumière sur la pluie.

La discussion commençait à la passionner. Les hommes, en dehors de son père, ne lui parlaient jamais ainsi. Elle aurait voulu poser au maître des questions sur les autres couleurs, mais réalisa soudain qu'il s'était éloigné d'elle. Elle leva les yeux et vit qu'il l'observait, la tête penchée sur le côté. Il la regarda ainsi longtemps, avant de dire pour lui-même:

– Je vous vois, mon enfant. Vous êtes comme un éternuement qui ne vient pas.

Puis il reprit d'une voix plus forte:

– Parlez-moi de votre père. Certaines personnes en ville se méfient des gens qui s'intéressent à des mystères tels que la nature de la lumière. Ils pensent qu'il faut abandonner les cieux à Dieu et le laisser peindre les arcs-en-ciel. Votre père est-il un libre-penseur ?

– Père dit que nous devons nous interroger sur tout ! s'exclama Louise avec enthousiasme. Il veut introduire la philosophie à l'école s'il est élu au Conseil de Delft.

– Vraiment ?

Le maître la regardait de nouveau, les yeux plissés. Il prit un pinceau fin et en caressa les poils, comme s'il s'agissait de la pointe d'une épée.

– Vous disiez qu'il construit un télescope ?

– Nous le construisons ensemble ! expliqua Louise avant de se reprendre. En fait, le tonnelier de la faïencerie construit le cylindre pour nous.

– Votre honnêteté est admirable, ma chère, mais elle ne vous mettra pas à l'abri de l'erreur.

Il laissa retomber le pinceau dans son pot avant de lui faire face, les mains sur les hanches.

– Je suppose que vous soutenez cette idée incongrue selon laquelle la Terre tourne autour du Soleil ?

Louise fut décontenancée. Y avait-il encore des gens pour croire que la Terre était immobile et que le Soleil tournait autour d'elle ? Elle jeta un regard à l'apprenti, qui lui adressa un sourire en coin avant de baisser les yeux. Le maître, qui avait surpris ce regard, grogna :

– Continue ton travail Pieter, tu ne comprendrais rien à notre conversation savante.

Louise se sentit indignée pour le jeune homme. Elle ne pouvait prendre sa défense, mais elle pouvait défier le maître.

– Est-il possible, monsieur, que vous croyiez que le Soleil tourne autour de la Terre ? demanda-t-elle.

– Bien entendu, il tourne. C'est l'évidence, si vous utilisez vos yeux. Le Soleil se lève à l'est, en tout cas c'était le cas la dernière fois que j'ai vérifié, puis il traverse les cieux avant de se coucher à l'ouest. Il n'accomplit pas ce parcours en restant immobile, mon enfant.

– Mais, Galilée…

– Au diable Galilée ! l'interrompit-il. Si le Soleil ne bougeait pas, alors ce serait la Terre qui devrait tourner. Et vous, ma chère, en seriez éjectée, ainsi que tous les objets que l'on peut déplacer. Les cochons voleraient, et même Pieter serait arraché des portes de l'enfer où il a pourtant sa place. Voyez donc.

Le peintre se mit alors à tourner rapidement sur lui-même devant Louise, effrayée.

– Regardez mes manches ! cria-t-il tout en virevoltant dans la pièce. Regardez comme elles volent ! Vous seriez éjectée du globe et vous vous cogneriez la tête contre le ciel avant de pouvoir dire lapis-lazuli.

À ce moment, il perdit l'équilibre et s'écroula sur la chaise basse près du chevalet. On ne distinguait plus que ses jambes.

– N'y songez plus, belle enfant. Vous n'avez sans doute jamais entendu parler d'Aristote, le philosophe grec, mais il avait raison. Mon Dieu que cette pièce tourne! gémit-il.

Il n'avait que ce qu'il méritait, pensa Louise, vexée qu'il s'imagine qu'elle ne connaissait pas Aristote, mais soulagée qu'il ne se soit pas blessé.

– Vous faites référence à la théorie des sphères cristallines, je suppose? reprit-elle.

Lentement, le maître se redressa.

– Pieter, dit-il humblement, mademoiselle Eeden connaît Aristote, nous devrions lui tresser une couronne de lauriers.

– Huit sphères cristallines entourent la Terre, ajouta Louise, consciente de se vanter.

Le maître se releva prudemment et déclama d'une voix rêveuse et grave :

– Au centre se trouve la Terre, changeante et corrompue. Autour d'elle tourne la Lune, l'astre céleste, parfait et immuable. Voilà le plan divin. Puis il y a les huit sphères cristallines, qui glissent les unes au-dessus des autres, chacune chargée de son fardeau céleste : une pour le Soleil, et sept pour les planètes. Ensuite vient le firmament extérieur où reposent les étoiles fixes, celles qui ne changent pas.

Le maître esquissa dans l'air à l'aide de ses mains les sphères qu'il décrivait. C'était en effet une superbe idée, d'une simplicité divine, pourtant Louise se devait de répondre.

– Maître, j'aimerais croire que vous avez raison, mais grâce à notre télescope nous verrons des choses qui prouveront sans aucun doute que ces belles sphères de cristal n'existent pas. Comment expliqueriez-vous le mouvement des quatre lunes qui tournent autour de Jupiter ? Comment pourraient-elles tourner autour de cette planète si elle est entourée d'une sphère de cristal ?

– La réponse est très simple, ma chère, c'est impossible.

– Mais…

Il leva la main.

– Il n'y a pas de mais, belle enfant. Si vous regardez dans la glace du canal en hiver, vous verrez souvent un poisson qui s'y est fait prendre. Si je vous disais que des poissons plus petits peuvent nager dans la glace tout autour, vous me prendriez pour un fou. Il en est pourtant de même des lunes qui se meuvent dans du cristal. Inutile donc d'observer le ciel.

Louise était abasourdie. Parlant le plus clairement et le plus précisément possible, elle répondit :

– Au contraire, maître, je vais continuer à les scruter de plus belle. Et si elles bougent moindrement cela prouvera que vous vous êtes trompé. Que les poissons n'étaient pas pris dans la glace comme vous le pensiez, exactement comme je vous affirme maintenant que Jupiter n'est pas figée dans un cristal.

– Quelle arrogance, mon enfant! Ne savez-vous pas au plus profond de votre cœur que les concepts suprêmes sont plus extraordinaires que ne le seront jamais les simples faits? Que le modèle sacré de l'univers exposé par Aristote pèse plus que les observations faites par une jeune fille de seize ans grâce à son télescope? Votre télescope ment!

La tête de Louise commençait à tourner. Elle ne savait pas si elle devait rire ou pleurer. Elle appréciait ce vieil homme acariâtre et désirait son approbation, mais ses croyances apparte-naient au passé.

Elle sentit le sang lui monter au visage, un signe certain de danger. Quand cela lui arrivait, elle finissait toujours par dire quelque chose qu'elle regrettait ensuite.

– Monsieur, comment un télescope pourrait-il mentir? demanda-t-elle. Quand nous recevrons nos lentilles, je vous invite à venir voir par vous-même.

Il se plaqua les mains sur les yeux.

– Inutile, je ne regarderai pas. Ce n'est pas à moi de changer d'avis, c'est votre foi dans votre instrument qui est en cause.

– Si Aristote avait eu un télescope, maître, reprit Louise, il aurait regardé, lui. Et contraire-ment à vous, il aurait changé d'avis. Malgré tout le respect que je vous dois, vous êtes en retard de deux mille ans.

Louise était amèrement déçue. Elle avait eu le dernier mot, mais à quel prix? Elle ressentit l'élan de compassion du vainqueur pour le vaincu. S'apprêtant à partir, elle leva les yeux.

Tout semblait avoir changé dans l'atelier. L'apprenti était penché vers elle, agrippé aux bords de sa table à broyer. Le maître avait la main levée, ce qui l'immobilisa net. En un instant, Louise comprit que ce n'était pas elle mais bien le maître qui avait gagné la partie. Elle était tombée dans le piège. Elle l'entendit crier alors qu'il cherchait fébrilement un fusain, et sa voix semblait venir de très loin.

– Ne bougez plus, mon enfant!

Il l'avait ouverte comme une huître, elle n'avait ni l'envie ni la volonté de bouger. Elle se figea donc pour lui et tint la pose, pendant un temps infini lui sembla-t-il.

Pieter n'avait pas écouté leur discussion qui n'avait guère de sens pour lui. Son esprit s'était évadé. Il avait d'abord essayé de retrouver chez la jeune fille l'expression qui l'avait intrigué quand elle était entrée. Sans succès. Puis il s'était concentré sur les éclats de lapis-lazuli, pour y déceler des traces du calcaire gris dont il avait été extrait. La plus petite trace risquait d'altérer la peinture.

Il ne commença le délicat travail du broyage qu'ensuite. En entendant soudain le maître crier, il sursauta.

– Ja, ja, le vieux peintre est allé trop loin. Je le lis sur votre visage. Vous êtes en colère, pourtant en votre for intérieur vous souriez de ce vieux fou que je suis. Que Dieu me pardonne! Mais à cet instant vous êtes belle, mon enfant. Belle à faire mal!

Sa main avait trouvé un fusain, seulement il tremblait si fort que Pieter se demandait s'il serait capable d'esquisser le moindre trait.

– Même si cela doit vous changer en pierre, ne bougez pas d'un pouce.

Il s'essuya les yeux à l'aide de sa manche.

– Mijn Gott, regardez, j'en pleure… Pieter! cria-t-il sans se retourner. Tu as arrêté de broyer. Recommence! J'ai besoin de t'entendre.

Le garçon jeta un œil à la poudre bleue. L'outremer était le pigment le plus cher et s'il continuait à le broyer la couleur perdrait son éclat. Il ajouta quelques fragments supplémentaires du précieux lapis-lazuli, et se remit à broyer. Mais, comme le maître, il était captivé par la magie qui émanait de la jeune fille. Il oublia l'atelier, et même le soleil au-dehors. Crish crish… et le son qu'il produisait en broyant la pierre devint le battement d'ailes de l'ange qui planait au-dessus de leurs têtes. Les cloches de la Nouvelle Église sonnèrent une fois, puis deux. Louise tenait toujours la pose.

Pieter la détailla. Elle était légèrement penchée en avant, sur le point de se lever, lorsque le maître lui avait crié de ne plus bouger. Son corps semblait une source prête à jaillir. Toutefois ce ne fut qu'en scrutant son visage que Pieter comprit ce qui avait fait pleurer son maître. Le reproche se lisait sur ses traits, mais au-delà on décelait autre chose. Un rire, peut-être, un sentiment donnant envie d'être l'objet de ce regard, d'en franchir le seuil et d'être accepté.

L'amour était un mot trop doux et la compassion un mot trop grandiloquent. Une émotion étrange obscurcit son esprit tandis qu'il réalisait que son maître, épinglé comme un papillon par ce regard, avait besoin de lui et du son apaisant de son broyage.

L'intensité de la vision diminua. Et le visage habituel de la jeune fille refit surface. Il estima qu'elle devait avoir seize ans, environ deux ans de moins que lui.

Le maître avait abandonné son carnet de croquis et, l'air concentré, dessinait directement sur la toile des traits clairs et adroits. La pierre broyée avait perdu son éclat tandis que le nom de la jeune fille tournait inlassablement dans l'esprit de Pieter.

Louise… Louise…

Il gâcha l'équivalent de trois florins de lapis-lazuli ce matin-là, mais le maître ne lui en fit jamais le reproche.

Le temps passait, et le maître continuait à dessiner. Il avait l'air épuisé et Pieter comprit qu'il devait l'interrompre, aussi se mit-il à rire. La jeune fille se tourna vers lui. La magie disparut ; la séance de pose était terminée.

Louise se redressa douloureusement. Elle avait tenu la pose pendant plus d'une heure et tous ses muscles protestaient contre cet exercice inhabituel.

Le vieil homme se dirigea vers la fenêtre en grognant et en traînant des pieds, essuyant son visage avec son béret.

– Pieter ! dit-il. Raccompagne mademoiselle Eeden chez elle.

Le garçon se tourna vers Louise. Elle observait le peintre courbé dans la lumière, et souriait intérieurement.

Reynier de Vries

Pieter aida Louise à remettre sa cape, son bonnet de lin, et lui ouvrit la porte. Mais quand il lui fit signe de le précéder dans les escaliers, elle hésita.

– Passez le premier, je vous en prie. Vous pourrez me rattraper si je tombe, dit-elle.

Une fois sur le palier, elle regarda anxieusement au rez-de-chaussée, puis elle lui toucha le bras.

– Monsieur Kunst, il y a une personne que… j'aimerais éviter. Elle est peut-être encore là. Pourriez-vous vérifier pour moi?

Pieter pénétra dans la salle de l'auberge et regarda autour de lui. Il n'y avait là que Kathenka qui parlait avec une femme âgée. Il revint vers Louise.

– Il y a une vieille femme en robe marron avec un tablier, coiffée d'un bonnet austère. Elle nous tourne le dos. Elle parle avec madame.

– Merci, répondit la jeune fille en souriant. Venez vite !

Elle se faufila jusqu'à la porte ouverte, ramassa ses sabots et sortit. Pieter lança un regard à Mme Kathenka avant de la suivre. À sa grande surprise, elle lui fit un clin d'œil.

– Par là, dit Louise en se détournant de l'hôtel de ville pour se diriger vers l'église.

Le marché grouillait d'activité à présent. Les étals avaient été installés, et elle dut se frayer un chemin à travers la foule. Tout était clair et bruyant, après le calme et l'ombre de l'atelier.

Pieter la suivait, peu à son aise. Il se rendait compte que sa présence lui avait été imposée et qu'elle n'avait peut-être pas envie d'être vue avec lui. Il n'aimait pas la foule. Dieu lui avait fait don de trop d'os et, quand il y avait du monde, ils semblaient se cogner partout. Sa confiance en lui le quittait dès qu'il sortait de l'atelier. À l'école, on l'appelait Pieter la marionnette, les plus petits imitaient à la perfection sa façon de marcher. Et il se sentait souvent comme attaché à des ficelles manipulées par un marionnettiste maladroit.

Il se rappelait le jour où il avait fait une erreur en orthographiant le mot « cheval », le professeur pour le punir l'avait fait venir au tableau et lui avait demandé de dessiner l'animal. Les autres ricanaient alors qu'il se frayait maladroitement un chemin entre les tables. Lorsque ses doigts avaient touché la craie, tout avait changé. La peur avait disparu. Le cheval de ses rêves l'attendait de l'autre côté du tableau. Il avait levé le bras, la craie avait glissé sur la surface noire, et soudain l'animal était apparu. Ses camarades ne s'étaient plus moqués de lui de la journée.

Ce soir-là, sa mère lui avait dit que saint Luc, le saint patron des artistes, avait guidé sa main, mais qu'il ne devait pas en parler. Ils étaient catholiques et les catholiques étaient tout juste tolérés dans la ville de Delft.

Pieter fut tiré de sa rêverie quand la jeune fille s'arrêta net devant lui. Il s'immobilisa dans un mouvement désordonné des bras et des jambes. Un jeune homme, vêtu d'un élégant costume, s'était dressé en travers de leur chemin. Il salua Louise et lui prit la main.

– Mais je croyais que vous étiez parti! s'exclama-t-elle.

Pieter recula discrètement. Il connaissait ce garçon. Ils avaient été ensemble à l'école. Il s'appelait Reynier et était tout ce que Pieter n'était pas. D'abord il était riche, l'héritier de la plus grosse faïencerie de Delft. Mais ce qui faisait vraiment la différence, c'était son assurance, ainsi que son allure agréable et charmante. Pieter recula encore de quelques pas.

Soudain, il y eut une fausse note dans l'apparente harmonie de la scène qui se jouait devant lui. Il entendit Louise élever la voix.

– ... Monsieur Kunst me raccompagne chez moi, merci, Reynier, lança-t-elle en se retournant. Monsieur Kunst, connaissez-vous Reynier de Vries ?

Pieter s'avança et tendit maladroitement la main. Pendant un court instant, Reynier sembla décontenancé, mais il se reprit vite.

– Bien sûr que nous nous connaissons, dit-il d'une voix chaleureuse. Comment allez-vous Pieter ? Nous allions à l'école ensemble. Un jour Pieter a dessiné un cheval merveilleux.

Reynier avait parlé avec bienveillance et pourtant Pieter eut l'impression que son magnifique cheval était insignifiant.

– J'ai vu le travail de monsieur Kunst ! répondit-elle ostensiblement. Nous devons rentrer à présent. Tous mes vœux pour votre voyage, Reynier.

Reynier s'inclina sans lâcher sa main. Puis il l'attira vers lui d'un mouvement élégant pour l'embrasser sur la joue, mais elle tourna la tête et les lèvres du jeune homme l'effleurèrent avant de rencontrer son bonnet. Pieter vit un éclair de colère traverser le visage de Reynier, avant d'être remplacé par son rire détendu.

– Au revoir, Pieter ! dit-il. Faites attention à ne pas vous mélanger les ficelles !

Pieter ouvrit la bouche pour répondre quand un bégaiement oublié emmêla sa langue. Ses mains esquissèrent un geste vague, mais déjà Reynier était parti.

Pieter resta figé, plongé dans ses pensées, tandis que Louise se mettait en route vers l'église. Se pouvait-il que Reynier de Vries soit le fiancé de Louise ? Celui qui, malgré son charme et sa gentillesse apparente, avait fait de ses années d'école un enfer ? C'était Reynier qui, le premier, l'avait surnommé la marionnette, même si ensuite il réprimandait ceux qui l'appelaient ainsi.

« Allons, allons les gars, vous êtes injustes », disait-il, en entourant l'épaule de Pieter d'un bras protecteur. Et ce geste semblait signifier : je suis l'ami de Pieter.

Qu'il aille au diable ! Il avait surtout été son bourreau. Pieter avait adoré Reynier comme on adore un héros. Mais Reynier trouvait toujours des moyens subtils de le rabaisser.

Pieter sortit de sa rêverie et serra les poings.

– C'est une brute, une brute ! marmonna-t-il.

Une femme qui tenait un étal d'oignons le dévisagea avant de lui lancer :

– Vous dites vos prières, monsieur Kunst ?

Et, riant à gorge déployée de sa plaisanterie, elle se tourna pour la répéter à la marchande qui tenait l'étal voisin. Pieter, qui ne s'était même pas aperçu qu'il avait parlé à voix haute, lui jeta un regard étonné, puis se dépêcha de rattraper Louise qui allait disparaître.

Louise avait senti les lèvres de Reynier la frôler mais elle était satisfaite d'avoir eu le courage de se détourner de lui. Elle se faufilait entre les étals, sa longue cape et la soie crissante de sa robe l'embarrassaient par cette journée ensoleillée de printemps. La chaleur commençait à l'oppresser.

Elle ne s'attendait pas à voir Reynier. Il lui avait officiellement fait ses adieux lorsqu'il lui avait annoncé son intention de voyager afin d'apaiser les rumeurs qui couraient sur leurs fiançailles. S'il voulait y mettre fin, l'embrasser sur le marché n'était pas le meilleur moyen.

Depuis leur enfance, il avait toujours été protecteur à son égard. De deux ans son aîné, il partageait tous ses jeux. Plus jeunes, ils avaient souvent joué à être mariés. Puis, quand ce jeu l'avait mise mal à l'aise, elle l'avait réduit à l'état de plaisanterie entre eux. À certains moments, elle avait cru être amoureuse de lui, mais ce sentiment ne durait jamais longtemps ; il y avait toujours des choses plus intéressantes à faire.

Elle repensa à leur dernière rencontre. Elle était chez elle. Elle avait entendu un coup frappé à la porte, mais l'avait ignoré. La corde de do de son luth venait de se rompre. Des voix lui parvinrent de l'entrée alors qu'elle fouillait dans sa corbeille à ouvrage où elle gardait ses cordes de rechange. Elle en trouva une, fit un nœud à une extrémité, et souleva la petite clef en ivoire qui maintenait la corde rompue.

Elle était absorbée par cette tâche quand une main d'homme entourée d'une manchette en dentelle se saisit du luth qui était sur ses genoux. C'était Reynier.

– Permettez, dit-il en souriant.

Un bref instant, elle en fut irritée; elle aimait faire les choses elle-même. Mais Reynier s'était depuis longtemps arrogé le droit de venir à son secours, qu'elle ait besoin de lui ou non.

– Je ne vous ai pas entendu.

– Je parlais à Anneke dans l'entrée, je demandais des nouvelles de votre pauvre mère. J'ai entendu dire qu'elle avait rechuté.

Louise s'apprêtait à répondre, déjà il poursuivit :

– Anneke est mon alliée dans votre conquête, Louise.

La jeune fille fit la moue et le dévisagea tandis qu'il tentait de détacher la corde. Il en eut vite assez et reposa le luth.

– La rumeur qui circule en ville est-elle parvenue jusqu'à vous ?

– Quelle rumeur ? questionna Louise.

– On prétend que les faïenceries Eeden et de Vries pourraient se rapprocher.

– Vraiment ? Je l'ignorais. Mais il est vrai que nous sommes éloignés du monde dans cette nouvelle maison.

Louise était étonnée. Elle savait que son père avait une piètre opinion des faïences exécutées par de Vries.

– Drôle de rumeur, déclara-t-elle avec indifférence, en attrapant son luth.

Mais Reynier fut plus rapide et saisit son poignet.

– Louise, dit-il d'un ton plein de reproche, pensez à votre père !

Il desserra son étreinte et commença à caresser sa main.

– Bien sûr que je pense à mon père !

Louise sentit le sang monter à son visage. Elle voulait retirer sa main, son étreinte la retenait. Que se passerait-il si elle essayait de se dégager, et qu'il refusait de la lâcher ? Cela précipiterait les choses, mais elle ne savait pas dans quel sens.

– Pensez à ce qui se passerait si les faïenceries s'unissaient, Louise. Votre père est le meilleur peintre de faïences de la ville, il serait libre de réaliser les magnifiques pièces dont il est le maître incontesté. Le mien continuerait à produire des carreaux, des tasses et de la vaisselle.

C'était donc de cela qu'il s'agissait ! Les faïences Eeden étaient en effet les plus belles de Delft, mais c'était la vaisselle ordinaire qui procurait le plus d'argent. Or plus la faïencerie fabriquait de tasses et de carreaux, moins son père avait de temps à consacrer au travail délicat qui lui valait sa renommée. Si les faïenceries s'unissaient, les de Vries pourraient réaliser le travail quotidien et son père se concentrer sur le travail décoratif qu'il aimait tant et qui assurait sa réputation.

– Vous croyez que c'est possible ? Je… Je ne pensais pas…

Reynier porta lentement sa main à ses lèvres et l'embrassa.

– Pourquoi y auriez-vous pensé ? dit-il en lui lâchant la main.

– Et vous, croyez-vous qu'ils peuvent trouver un accord ? Père ne m'en a pas parlé.

Reynier se rendit près de la fenêtre. Ses cheveux longs balayaient le large col en lin de son manteau. Quand il répondit enfin, ce fut d'un ton mesuré.

– Louise… Une autre rumeur court.

Il fit une pause. Elle avait à nouveau amorcé un mouvement vers le luth mais s'arrêta net.

– D'un côté, je le déplore, continua-t-il, de l'autre, j'aimerais qu'elle se réalise.

Un frisson d'appréhension parcourut le dos de Louise. Reynier se retourna et se dirigea vers elle. Elle crut qu'il allait s'agenouiller, au lieu de quoi il tapa du poing dans la paume de sa main.

– Louise, dit-il. On prétend que… que l'accord dépend de notre mariage.

Elle leva les yeux vers lui, abasourdie. Sa bouche s'ouvrit sous le coup de la surprise.

– Non, Louise ! Ne dites rien. Je connais votre réponse, et même si par miracle vous acceptiez, je ne pourrais pas penser que c'est votre réel désir. Je vais partir quelque temps. En Angleterre, en France, en Italie peut-être. Mon père peut se passer de moi. C'est pour vous prévenir que je suis venu aujourd'hui, et pour vous dire au revoir. Nous devons laisser la rumeur s'apaiser, ensuite je pourrai sincèrement venir m'agenouiller devant vous. En attendant, nous ne nous reverrons pas avant six mois. Oh, Louise, comme vous allez me manquer !

Il prit sa main et y pressa ses lèvres, elle était si surprise qu'elle ne la retira pas.

– Pensez à votre père, Louise, répéta-t-il en se frappant la poitrine, comme pour montrer sa détermination.

Il fit demi-tour et, faisant voler son manteau, il franchit la porte si vite que le souvenir qu'en garda Louise ne fut pas de lui, mais d'Anneke, qui s'effaçait pour le laisser passer.

La scène s'était déroulée une semaine auparavant. Louise n'en avait pas appris davantage et avait supposé qu'il était parti.

C'est alors qu'elle s'était rendu compte que le monde changeait autour d'elle. À commencer par Anneke, qui s'inquiétait de la façon dont elle s'habillait et la réprimandait quand elle allait seule en ville.

Puis son père, bourru et affectueux, était revenu d'Amsterdam avec une superbe robe de soie verte pour elle.

Et sa mère, pâle, presque transparente à cause de sa maladie, se promenait dans la maison avec un sourire incompréhensible.

C'était comme si elle était devenue un petit soleil, le centre d'une attention invisible. Elle ignorait d'où avaient surgi les rumeurs qui circulaient à propos de son mariage avec Reynier, et qui les avait répandues. Anneke ? Non, Anneke n'était qu'une conspiratrice appliquée. Reynier ? Mais pourquoi alors s'éloignait-il pour les dissiper ?

Elle pensa à son père, et à ce que cela représenterait pour lui d'être libre d'effectuer le travail qu'il aimait tout en partageant ses responsabilités commerciales. Elle pensa aussi à Reynier, à leurs jeux d'enfants si innocents. Et, plus récemment, à ses demandes fougueuses, et à ses propres réponses ambiguës. Malgré son comportement galant, elle était persuadée que Reynier ne l'aimait pas. Était-il attiré par sa fortune ? La famille de Vries était aisée, mais Reynier avait un appétit insatiable de richesses.

Il faisait chaud dans le marché bondé. Elle avait l'impression que les fils collants d'une toile d'araignée l'enserraient, tirant sur ses lourds vêtements. Son pied heurta une chose douce et molle et elle poussa un cri aigu. Elle baissa les yeux sur un groupe de poules muettes, aux yeux écarquillés, attachées par les pattes. Elle tenta de reprendre ses esprits, marchant de plus en plus vite.

Il fallait qu'elle quitte ce marché, qu'elle respire un peu d'air frais, qu'elle voie un coin de ciel. Elle contourna un étal chargé de choux mais, dans sa précipitation, elle manqua renverser une charrette à bras transportant une véritable pyramide de fromages aussi ronds que des boulets de canons.

Louise atteignit l'ombre de l'église et s'y arrêta, haletante. Des pas résonnaient derrière elle. On ne la laisserait donc jamais tranquille ? Ce n'était tout de même pas Reynier ?

Elle se retourna. C'était M. Kunst, l'apprenti ; elle avait complètement oublié sa présence. On lui avait ordonné de la raccompagner chez elle. Mais elle ne voulait pas rentrer. Elle décida de continuer son chemin, espérant qu'il se lasserait de la suivre.

Elle dépassa l'église, M. Kunst sur les talons. Ils franchirent un petit pont qui traversait l'un des nombreux canaux quadrillant la ville avant de tourner à gauche. De cette manière, il verrait qu'elle rentrait chez elle.

Le canal rejoignait le Doelen, où elle habitait. Lorsqu'elle bifurqua vers les remparts, le garçon lui emboîta le pas. Elle se sentait mal ; le baiser que Reynier avait tenté de lui donner en public lui brûlait encore la tempe. Elle la frotta énergiquement puis se retourna, contrariée. Le garçon, bras ballants, trébucha maladroitement avant de s'arrêter.

La remarque acerbe qu'elle s'apprêtait à lui lancer mourut sur ses lèvres. Cette démarche, cette façon de se mouvoir… Cela lui évoquait une image qu'elle avait du mal à définir.

Soudain elle se souvint que Reynier avait parlé de ficelles. Mais oui, l'apprenti faisait penser à une marionnette ! C'est à cela que Reynier faisait allusion. Une bouffée de colère monta en elle. Comment Reynier osait-il se moquer si cruellement de ce garçon ?

– Monsieur Kunst, s'enquit-elle en le dévisageant, puis-je vous appeler Pieter ?

Il sembla déconcerté.

– Bien sûr, mademoiselle.

– Non, pas mademoiselle ! corrigea-t-elle avec impatience. Louise, s'il vous plaît, seulement Louise. Et, ajouta-t-elle en indiquant la distance qui les séparait, nous ne sommes pas des étrangers. Approchez, j'ai besoin de vous.

Il la rejoignit au bord du canal.

– Pieter, reprit-elle sans quitter l'eau des yeux. C'est ma vieille nourrice que je voulais éviter quand nous avons quitté la maison du maître. Elle bavarde continuellement et j'ai besoin de temps et de calme pour réfléchir. Seriez-vous assez aimable pour m'escorter jusqu'aux remparts ? Votre maître n'y verrait pas d'inconvénient, n'est-ce pas ?

– Non, dit-il en souriant. Je ne lui manquerai pas, et je vous promets de me taire.

– Puis-je prendre votre bras?

Il tendit vers elle son coude osseux et ils firent quelques pas en silence. Bientôt ils durent s'arrêter car un groupe d'hommes barrait la route. Ils s'apprêtaient à faire monter un gros coffre à linge finement sculpté jusqu'à la fenêtre du dernier étage d'une maison. Une poutre blanche dépassait du pignon et ils y avaient attaché une poulie. En passant le meuble par la fenêtre, ils évitaient d'emprunter les escaliers intérieurs raides et étroits.

Louise aperçut des initiales entrelacées sur le côté du coffre, au-dessus de la date de l'année, 1654. Certainement de jeunes mariés qui emménageaient. Elle frissonna légèrement...

Au bout de la rue, des escaliers menaient en haut des remparts. Très raides, et construits pour les soldats, ils n'avaient pas de garde-corps, mais Louise n'était pas sujette au vertige. Elle releva sa cape et sa jupe d'une main et grimpa en s'appuyant au mur de l'autre. De jolies fleurs violettes sortaient des fissures du mur. Elle en cueillit une.

Arrivée au sommet, elle s'appuya contre le parapet et inspira de grandes bouffées d'air, oubliant les relents viciés de la ville et l'odeur des eaux stagnantes du canal. Puis elle demanda à Pieter d'épingler la fleur à sa cape. Elle fut surprise par la délicatesse de ses gestes tandis qu'il s'exécutait.

Au bas des remparts s'écoulait le Schiekanaal qui enlaçait la ville sur trois côtés. Au-delà, les basses terres s'étendaient à perte de vue, surplombées par d'énormes masses nuageuses blanches, grises et argentées sous le bleu pur du ciel. Les fermes parsemées, les moulins à vent et les clochers éloignés semblaient naviguer comme des vaisseaux sur un océan vert et lisse au-dessus duquel flottaient les nuages à la dérive.

Elle se tourna vers Pieter afin de partager ce sentiment de liberté. Il contemplait le paysage, les yeux mi-clos. Elle l'imita, fermant ses paupières jusqu'à ce que le paysage devienne flou et s'estompe pour se réduire à l'essentiel.

– On dirait une peinture à l'huile ! s'exclamat-elle. Comme j'aimerais peindre chaque brin d'herbe, c'est impossible, n'est-ce pas ?

Elle le regarda alors qu'il plissait les paupières avant d'ouvrir les yeux.

– En effet, mais certains continuent à essayer.

– N'aimeriez-vous pas être là-bas ?

– Dans les prés ? demanda-t-il en souriant. Pour courir les jeunes filles ?

– Ce n'est pas ce que je voulais dire ! protesta Louise en rougissant.

– Je sais, c'était l'idée du maître, dit-il en riant.

– Il vous taquinait...

Elle réfléchit quelques secondes.

– Et il me taquinait aussi par la même occasion.

Une péniche passa en silence, filant vers le nord. Ses voiles brunes dissimulèrent quelques instants la vue. La femme du batelier cuisinait sur un petit poêle à charbon. Une délicieuse odeur d'oignons frits parvint jusqu'à eux. En les apercevant tous deux en haut des remparts, le batelier leur adressa un signe de la main.

— Est-ce que le maître se comporte toujours de cette manière quand il commence un tableau ? s'inquiéta Louise.

Le verre vide

Si Pieter avait croisé des personnes riches et célèbres grâce à son travail, il n'avait jamais franchi la barrière sociale qui le séparait d'elles. Son père avait été un peintre apprécié au sein de la faïencerie de Vries, mais il y avait eu des obstacles à sa promotion, à cause de sa religion.

Quand il fut question de l'apprentissage de Pieter, son père lui dit en plaisantant qu'il ne le placerait pas dans une faïencerie, de crainte qu'il ne casse plus de pots qu'il n'en peigne. Mais la vraie raison était qu'il n'y voyait pas d'avenir pour son fils. Aussi lorsque maître Haitink accepta de le prendre comme apprenti, son père l'encouragea vivement à devenir membre de la guilde de Saint-Luc.

– On y accepte les catholiques, Pieter, lui avait-il dit, et si tu as assez de talent, tu pourras faire tes preuves.

Mais Pieter n'avait guère d'ambition sociale. À la mort de son père l'année suivante, il accepta de bon gré l'emploi dans l'auberge de Mme Haitink, afin de venir en aide à sa mère. La vie ne l'avait pas préparé à se retrouver sur les remparts de Delft en compagnie de la plus riche héritière de la ville. La présence de Louise à ses côtés lui faisait penser à une flamme. Elle pouvait brûler, aveugler ou – que Dieu le protège – s'éteindre s'il n'agissait pas comme il le fallait.

Il se réfugia dans la contemplation du paysage au-delà des remparts, et plissa les yeux en observant la lente marche d'un nuage au-dessus des champs. L'avoine, le blé et l'orge formaient des quadrillages bien distincts. Il regarda l'ombre progresser et absorber les délicates couleurs du printemps avant de les laisser rejaillir après son passage.

La voix de Louise interrompit sa rêverie.

– Maître Haitink me taquinait à propos des planètes et d'Aristote, n'est-ce pas?

Pieter ne répondit pas.

– Ma dispute avec votre maître était-elle inconvenante? reprit Louise. Père dit qu'il ne faut jamais ébranler les croyances des autres, mais simplement affirmer les siennes.

Elle défit son bonnet et libéra ses cheveux.

– Mais c'est bien lui qui a commencé, n'est-ce pas? reprit-elle, les yeux brillants.

– Il n'avait aucune chance! rétorqua Pieter en éclatant de rire.

Il aurait voulu lui dire que le maître possédait une longue-vue et était, il en était sûr, un aussi fervent disciple de Galilée qu'elle, mais il craignait de la froisser. Le maître l'avait-il provoquée pour trouver sa vérité profonde?

Le visage de Louise s'était de nouveau assombri et il remarqua que ses yeux changeaient de couleur selon son humeur, passant du bleu-gris au vert, comme le reflet du soleil sur une mer agitée.

– Se comporte-t-il toujours aussi bizarrement? demanda-t-elle. J'avais presque l'impression... je ne sais pas... qu'il me redoutait.

– C'est exactement ça, mademoiselle, on peut même dire que vous le terrifiez.

Elle écarquilla les yeux.

– Moi? Comment est-ce possible?

– Il redoutait de ne pas réussir à vous peindre.

– C'est ridicule! C'est un... maître!

– Non, ce n'est pas ridicule. Les gens pensent que, parce que vous êtes peintre, vous serez toujours capable de rendre sur le papier ou sur la toile ce que vous voyez, mais ce n'est pas aussi simple. Souvent, vos yeux voient des choses qu'il vous semble impossible de traduire. Quand vous prenez votre fusain ou votre pinceau, il n'y a pas de lien entre vos yeux et votre main. C'est ce qui s'est passé avec le mendiant de la porte du béguinage que vous aimez tant. Nous l'avons fait monter en cachette de madame Kathenka. Au début, le maître était comme un ours en cage car il ne parvenait pas à peindre. Et puis un jour, le mendiant s'est énivré et il a commencé à chanter. Imaginez un tas de chiffons déversant des chansons d'amour les unes après les autres ! On ne voit pas qu'il chante sur le tableau, et pourtant s'il n'avait pas chanté, son portrait n'existerait pas.

— Mais moi je n'ai pas chanté, je me suis juste disputée avec le maître ! fit remarquer Louise.

Elle se tourna vers Pieter.

— Est-ce que cela vous arrive à vous parfois ? De voir, mais de ne pas pouvoir transcrire ce que vous voyez ? Je ne parviens pas à vous imaginer comme un ours en cage.

— Et pourtant… dit-il.

— Oh, racontez-moi ! S'il vous plaît.

— C'était la première fois que le maître me laissait travailler sur un portrait. Le portrait ordinaire d'un conseiller de la ville. Le maître s'était lassé à la fois de l'homme et du tableau. « J'ai besoin de couleur ici, Pieter, m'a-t-il dit. Descends vite voir Kathenka et apporte-moi un verre de vin rouge. Dans un verre vénitien simple ! » a-t-il précisé alors que j'empruntais l'escalier. Quand je lui ai rapporté le verre, il l'a placé dans le décor. « Finalement, Pieter, c'est toi qui vas le peindre », a-t-il déclaré. C'était un grand honneur qu'il me faisait. Il m'a montré où le placer sur la toile. « Nous allons le mettre juste hors d'atteinte du vieux vaurien. » Puis il a ricané et il est parti en traînant des pieds, vers l'auberge, je suppose.

— Comment vous en êtes-vous sorti ? demanda Louise.

– Plutôt bien ! Le verre semblait posé droit sur la table, ce qui est un bon début. Mais c'était du vin que j'étais le plus content. Je l'avais reconstitué couche après couche, sans oublier de laisser un espace vide de manière à ce qu'apparaisse un point de lumière rouge brillant une fois l'ultime couche appliquée. Quand le maître est revenu, je n'ai pu me retenir : « Avez-vous déjà vu plus beau verre, maître ? Pas besoin d'aller à l'auberge, il suffit de tendre la main. » Je n'ai pas eu le temps de terminer ma phrase, le maître m'a frappé.

Pieter partit d'un rire désabusé à ce souvenir.

– Je me suis retrouvé par terre. Il a mis le pied sur ma poitrine pour me maintenir au sol, il a pris le verre de vin qui m'avait servi de modèle, et l'a bu en trois gorgées. Puis il a essuyé le verre avec son foulard jusqu'à ce qu'il étincelle. Quand il a jugé que le verre était suffisamment brillant, il l'a reposé sur la table, il a enlevé son pied de ma poitrine et il m'a dit : « Dessine-le ! »

– Étiez-vous blessé ? s'inquiéta Louise.

– Je n'étais pas blessé, mademoiselle, mais j'étais fou de rage. Vous comprenez, dix minutes plus tôt je pensais rivaliser avec le grand Rubens lui-même, et voilà que j'étais malmené comme un vulgaire apprenti de première année. Et en plus il me demandait de peindre un verre vide ! J'ai dessiné les contours du verre, vérifié que les proportions étaient bonnes, et je l'ai appelé : « Voilà maître, c'est fait. » Vous auriez dû entendre ce qu'il m'a dit alors.

Pieter secoua la tête.

– J'ai fini par haïr ce verre, Louise ! Le maître me l'a fait dessiner encore et encore. « Ce n'est pas un de tes maudits saints, espèce d'andouille ! m'a-t-il finalement déclaré. Regarde ici. Qu'est-ce que c'est que ça ? Un halo ? » Il pointait le doigt sur ma page. « Mais maître, c'est le rebord du verre ! ai-je répondu en serrant les dents. Voyez, il est là ! » « Je ne vois rien ! » Et cette fois, son coup a fait résonner mes oreilles. « Regarde plutôt avec tes *yeux*. Comment vois-tu réellement ce rebord ? » J'ai cligné des yeux, puis je les ai plissés. J'étais au bord des larmes. Et savez-vous, Louise ? À ce moment-là, j'ai compris ce qu'il voulait dire ! Le verre, le rebord, n'étaient pas des lignes définies, mais des fragments épars de lumière. Le verre imaginaire que mon esprit avait tenté d'imposer sur le papier avait disparu. À sa place, j'embrassais le verre avec l'œil d'un artiste, même s'il était mouillé de larmes.

Lui obéissant pour une fois, les mains de Pieter dessinaient le verre dans l'espace. D'un geste, Louise l'encouragea à continuer.

– Et tout à coup j'ai compris. « Je le vois, maître ! ai-je dit. Pas de rebord, seulement deux arcs fins de lumière. Vous avez raison ! » « Eh bien, dessine-les ! » a-t-il grogné. Pendant une heure, j'ai dessiné tandis qu'il arpentait l'atelier. Mon carnet de croquis s'est rempli de ces minuscules fragments sans signification, de ces échardes de lumière. Ils flottaient au-dessus de la page comme des rêves oubliés. Alors que le crépuscule tombait, le verre est apparu. Oh, Louise, quelle joie ! « Maître ! » me suis-je écrié, en regardant de nouveau mon carnet, au cas où le verre se serait envolé. Mais non, il était toujours là, flottant, translucide, capturé sur la page. Je n'en croyais pas mes yeux ! Je me suis rassis avec un gémissement d'épuisement. Le maître s'est penché par-dessus mon épaule. J'aurais voulu le prendre dans mes bras, il a juste grogné : « Kathenka a ouvert un nouveau tonneau qui m'appelle depuis une heure. Allons fêter ça. »

Pieter s'arrêta, étourdi par sa propre éloquence. Il observait la jeune fille avec ses yeux de peintre, de la même façon qu'il avait regardé le verre. Sans s'attacher à un contour, mais en découvrant son essence, autant de minuscules fragments de couleur, de texture et de lumière… puis il haussa les épaules, et ses mains retombèrent en un geste désordonné.

Louise jeta un dernier regard au-delà des remparts. Elle devait rentrer chez elle à présent. La rébellion qui l'avait menée jusqu'ici avait cédé la place à un sentiment de regret. Elle sentit le regard de Pieter posé sur elle, mais il n'était pas indiscret, il était apaisant, comme lorsque le maître avait arrangé ses vêtements pour la séance de pose.

Ce garçon était un artiste et les artistes ont une vision différente des autres. En l'observant, elle avait constaté à quel point il changeait quand il parlait de son art. Ses mains se mouvaient soudain avec une coordination nouvelle et racontaient des histoires. C'était une découverte à la fois perturbante et excitante !

Depuis quelque temps, elle avait une foi passionnée en la science. Son père la décrivait comme un soleil dissipant le brouillard de la superstition et de l'ignorance. Des choses nouvelles et merveilleuses étaient découvertes chaque jour, non par des mystiques aux visions vagues, mais par des mathématiciens, des astronomes, des alchimistes. Elles étaient mesurables, quantifiables.

Ce que Pieter lui offrait était différent, exaltant et un peu choquant. Elle n'était pas sûre d'en saisir la nature.

Elle avait hâte que son père soit de retour. Depuis qu'elle était petite, à chaque fois qu'il revenait d'un de ses voyages à Amsterdam, à La Haye ou même à l'étranger, il montait dans sa chambre à l'heure du coucher. Il lui parlait des gens fantastiques qu'il avait rencontrés, il lui racontait ce qu'il avait vu.

« Un jour, disait-il, tu m'accompagneras. »

Et ils imaginaient des voyages exotiques au cours desquels ils croiseraient des philosophes en robe, des alchimistes aux chapeaux pointus, penchés sur des cornues bouillonnantes à la recherche de l'or et de la pierre philosophale. Après ces conversations, elle restait éveillée de longues heures, l'esprit et le cœur gonflés de rêves.

Et puis il y avait leur télescope. Le cylindre était prêt, magnifiquement fabriqué par le tonnelier de la faïencerie. Il manquait juste les lentilles que son père avait commandées à un polisseur de verre d'Amsterdam. Une fois qu'ils les auraient, ils pourraient observer les lunes de Jupiter et peut-être même les bras de Saturne. Elle se demanda si Pieter serait intéressé par de telles choses. Reynier avait semblé l'être, et elle en avait été ravie, mais elle avait vite compris qu'il ne s'agissait pour lui que de donner une illusion supplémentaire de perfection.

Rien à voir avec ce garçon qui lui parlait d'art, de « fragments de lumière », dans des termes qui la touchaient. Peut-être pourraient-ils devenir amis ? Elle s'interdit d'y penser davantage ; elle apprenait à repousser certaines idées. Un peu comme si la société prenait ses décisions à sa place, et que la bienséance l'entraînait vers sa destinée.

Un héron battait lourdement des ailes au-dessus du canal en contrebas. Il déplia son cou et ses pattes en atterrissant sur la rive dans l'eau peu profonde. Elle se retourna vers Pieter en souriant et lui tendit la main.

– Pieter, vous avez été très patient avec moi, mais pouvez-vous m'aider à descendre ces marches ? Je suis entravée comme ces pauvres poules du marché.

Il prit sa main droite dans la sienne, lui permettant ainsi de tenir sa cape et sa robe de l'autre main et il la guida dans les escaliers.

— Pieter, commença-t-elle tandis qu'une pensée fulgurante traversait son esprit tel un vol d'hirondelles.

— Oui ?

— Quand vous avez dessiné votre verre vide, vous l'avez dessiné comme la ressemblance vous le dictait, mais il n'avait pourtant pas l'air vrai ?

Pieter acquiesça.

— C'est seulement lorsque vous avez oublié la raison et tracé ce que vos sens vous suggéraient que le verre est apparu ?

— Oui.

— Mais Pieter, ce n'est pas logique ! Les philosophes nous assurent que ce que nous comprenons par la raison est plus réel que ce que nous révèlent nos sens.

— Cela signifie donc que j'ai pris une claque sur l'oreille pour rien ?

L'écho du rire joyeux de Louise résonna entre les hauts murs et les pignons de la ville.

— Non, au contraire. Attendez que je raconte cela à mon père. Pieter Kunst vient de prouver que Descartes, notre plus grand philosophe, se trompe !

— Oups !

Pieter vacilla, elle le retint.

— Ce serait terrible si vous vous blessiez, vous savez. Vous devez être protégé, vous êtes mon fruit défendu. Appuyez-vous contre le mur, comme je l'ai fait pour monter.

Arrivés en bas, Louise prit le bras de Pieter et ils marchèrent à l'ombre des remparts. Elle lui parla de son père et du télescope qu'ils fabriquaient ensemble.

Et aussi de Descartes, que son père avait rencontré des années auparavant.

– Il vivait à La Haye. Père l'admirait beaucoup. Il lui a dit exactement ce que je vous ai dit sur les marches : ce que nous comprenons par la raison est plus réel que ce que nous révèlent nos sens.

En levant les yeux, Louise vit une lune pâle qui se cachait de nuage en nuage, comme pour s'excuser de sa présence.

– Il disait que nos sens nous poussent à croire qu'il y a une lune là-haut, qu'elle est réelle, comme ce mur, mais qu'en fait nous n'en savons rien. Peut-être est-ce un fromage, comme ceux que nous avons vus au marché, à moins que nous ne la rêvions et qu'un jour nous nous réveillions pour constater qu'elle n'est plus là. Le seul moyen d'être certain qu'une chose est bien réelle émane de la raison.

– La raison me disait que le verre que j'essayais de dessiner était composé de deux ellipses, que son sommet et sa base étaient reliés par un certain nombre de courbes. Mais quand je le dessinais de cette façon, il ressemblait à un saint titubant avec son auréole, lança Pieter.

– Et si vous aviez tout mesuré ? Père dit que c'est ainsi que fonctionne la science.

– Il existe une méthode pour laquelle nous nous servons des lentilles et des miroirs afin de projeter l'image à peindre sur la toile. Nous l'utilisons assez rarement. Le maître dit que c'est l'équivalent du plan d'un bâtiment avant qu'il soit construit. Mais il est vide d'âme, ce n'est qu'un point de départ.

– L'âme... répéta Louise. C'est sans doute l'écueil avec la science. Elle manque d'âme.

– Mais vous aimez la science, non ? Je l'entends à votre voix quand vous en parlez.

– Oui, oh oui, Pieter ! C'est passionnant de comprendre l'univers tel qu'il est réellement. Peut-être serons-nous bientôt capables de comprendre les clés mêmes de la vie. Nous pourrons alors corriger tout ce qui a été fait dans l'ignorance et la folie !

Elle s'arrêta un instant avant de continuer gravement :

– Mais je ne suis pas sûre qu'il y ait une place pour l'âme dans la science.

La colère d'Anneke

Après avoir dépassé la tour, ils tournèrent en direction du Doelen, le quartier où vivait Louise. Il était calme, ombragé par de grands arbres. Des vergers et des jardins longeaient le canal. Tandis qu'ils croisaient Claes, le gardien de la poudrière du champ de tir, il remit précipitamment quelque chose dans sa poche. Il eut un sourire gêné. Louise frissonna et se rapprocha de Pieter.

— Ça sent le tabac, dit Pieter en reniflant, j'espère qu'il ne fume pas à l'intérieur de la poudrière.

— C'est sûrement interdit. Ils sont obligés de porter des chaussures en toile pour éviter les étincelles, le rassura Louise. Je suis sûre qu'il fait attention, il serait le premier à exploser.

Une porte s'ouvrit soudain devant eux et, dans un fracas d'armures, un flot d'officiers de la garde se déversa sur le chemin.

Louise, qui tenait fermement le bras de Pieter, baissa la tête. Il n'y a pas longtemps de cela, elle aurait plaisanté avec les hommes. En général ils étaient de bonne humeur, parlant fort à cause de la surdité temporaire causée par les exercices, le visage noirci par la poudre après avoir tiré sur les cibles, ou en sueur à force de s'être affrontés à l'épée. Plusieurs d'entre eux la saluèrent. Elle reconnut Dirck van Vliet, le nouveau capitaine de la garde. Il se pencha à l'oreille d'un de ses camarades pour murmurer :

– C'est mademoiselle Louise…

Le « mademoiselle » était nouveau. Louise tendit l'oreille mais ne perçut que la fin de la phrase :

– … De Vries, tu sais.

Le nom de famille de Reynier la frappa comme une balle. Son visage s'empourpra. Ainsi, pensa-t-elle, même les gardes associaient leurs deux noms. Comment avait-elle pu laisser la situation prendre cette tournure ? Agrippée au bras de Pieter, elle avait pourtant l'impression qu'un abîme les séparait. Pieter, l'humble apprenti… où se situait-il dans cette communauté qui semblait se préparer au mariage de la décennie ? Et pas n'importe quel mariage, son mariage !

Elle le lâcha et accéléra le pas, mais un groupe de gardes suivait le même chemin qu'eux. Quand elle arriva devant chez elle, elle se retourna pour remercier Pieter, toutefois il avait disparu. La porte s'ouvrit et elle se retrouva nez à nez avec Anneke et son regard noir. Un coup d'œil suffit à Louise. Elle ne voulait pas affronter Anneke quand elle était en colère. Elle ôta rapidement ses sabots.

– Qui sont ces singes qui te suivaient ? Et où étais-tu ? Tu t'exhibais en ville ? siffla Anneke.

– Ce sont les officiers de la garde, de véritables gentilshommes. Tu le sais aussi bien que moi, Anneke.

– N'as-tu pas honte, jeune dévergondée ? Ne comprends-tu pas que des gentilshommes sont les dernières personnes que tu devrais fréquenter dans ta condition ?

– Anneke ! Je ne suis pas fiancée, ni mariée ! explosa Louise, riant à moitié tant elle était énervée. Et je ne suis…

Mais Anneke n'était pas d'humeur à se laisser amadouer.

– Comment as-tu osé filer sans m'avertir !

– Tu parlais à madame Kathenka, tenta Louise.

– Pourquoi ne pas m'avoir appelée ?

– Je ne voulais pas te déranger. Tu semblais très occupée.

Louise venait de marquer là un point. Malgré son zèle puritain, Anneke avait une faiblesse : son penchant pour l'alcool. Bien que d'apparence innocente, certaines des liqueurs qu'elle sirotait étaient étonnamment fortes. Louise avait remarqué un verre fin non loin d'Anneke, sur la table de Mme Kathenka.

— Et puis j'avais une escorte pour rentrer, monsieur Kunst.

— Monsieur Kunst! dit Anneke en grommelant. Un apprenti!

— C'est vrai Anneke, mais au moins ce n'était pas un gentilhomme!

Il était temps de s'esquiver. Quand on marquait deux points contre Anneke, on n'attendait pas sa réaction. Louise se faufila dans l'entrée et grimpa les escaliers. Elle se sentait soulagée, joyeuse même. Demain, son père reviendrait d'Amsterdam. Demain, elle lui raconterait tout.

Ses pensées étaient claires et ses réponses simples : non, elle ne voulait pas devenir la femme de Reynier. Un accord commercial n'est qu'un accord commercial, et son père n'exigerait jamais qu'elle épouse quelqu'un contre sa volonté. Aujourd'hui, tout avait changé pour elle. Dans l'atelier du maître, elle avait découvert quelque chose qu'elle ne pourrait jamais partager avec Reynier. Comment se lier à quelqu'un qui ne comprendrait jamais des personnes comme le maître, Mme Kathenka, ou l'apprenti? Des personnes qui élevaient votre esprit. Non, elle n'épouserait pas Reynier de Vries.

Elle n'avait pas faim. Anneke la laisserait tranquille et sa mère était couchée. Elle grimpa dans son lit clos, tira les rideaux et s'endormit, roulée en boule.

Il faisait sombre lorsque Louise se réveilla une première fois. La maison était silencieuse. Même les craquements du bois qui s'ajustait au changement de température avaient cessé. Elle resta allongée, se demandant si elle allait se rendormir. Puis elle tira les rideaux, drapa un châle sur ses épaules et se dirigea sur la pointe des pieds jusqu'à la fenêtre qu'elle ouvrit pour respirer l'air de la nuit.

L'obscurité l'enveloppait, noire comme une ardoise vierge. « C'est mon ardoise, pensa-t-elle, et je ne laisserai personne écrire dessus, ni Anneke, ni Reynier. Personne. Je serai fidèle à moi-même. Je dirai à père que je n'aime pas Reynier, que tout cela est une erreur. Il comprendra. Je ne veux épouser personne. Nous fabriquerons ensemble notre télescope, nous observerons les étoiles et il me parlera des philosophes. Pieter nous rendra visite, il racontera l'histoire de son verre vide à père. Puis nous regarderons les lunes de Jupiter et les bras de Saturne. »

Comme la fraîcheur du matin s'infiltrait sous son châle, elle frissonna. Elle regagna son lit à la hâte et se rendormit profondément.

La seconde fois, elle fut réveillée par le fracas des sabots sur la route récemment pavée. Ce n'étaient pas des chevaux attelés, mais des chevaux montés. Son père arrivait !

Elle sauta du lit, attrapa une légère pèlerine accrochée derrière la porte, se précipita en bas et faillit heurter Anneke sur le palier. Anneke dormait dans la chambre d'enfant de Louise, mais il était de plus en plus dur pour la vieille nourrice de monter les escaliers, aussi Louise avait-elle accepté de bon cœur d'occuper les combles.

— Mademoiselle Louise ! appela Anneke. Vous ne pouvez pas descendre comme ça, monsieur de…

Mais Louise dévalait déjà la dernière volée de marches. Son père se tenait dans l'encadrement de la porte, sa silhouette se dessinant dans la lumière. Il serrait sa mère dans ses bras, l'enveloppant dans son grand manteau de voyage. Louise comprit trop tard qu'il y avait un autre homme près de lui. Elle ne réussit pas à stopper sa course, ses pieds nus glissant sur le marbre froid.

— Louise, dit son père en riant, tu ressembles à un oiseau qui cherche à se poser. Viens… viens voir ton père. J'ai besoin d'un baiser de toi aussi.

Le bras qu'il tendait lui rappela l'aile d'un héron. Il l'entoura d'un geste protecteur. Elle blottit son visage contre son épaule, et sentit l'odeur de la laine humide. Puis elle se souvint de l'homme qui patientait à la porte et leva la tête pour plonger son regard droit dans les yeux du père de Reynier, Cornelius de Vries.

— Je m'en vais maintenant, Andraes. Nous avons beaucoup de choses à préparer pour le grand jour. Au revoir.

L'homme se retourna et descendit le perron. Quoi? Qu'avait-il dit? De quel grand jour parlait-il? Mais son père la serrait de nouveau contre lui.

– Louise, dit-il, j'ai nos lentilles! Et j'ai rencontré un homme vraiment extraordinaire, il faut que je te raconte.

Sa mère blottie contre elle semblait aussi légère qu'un moineau. Oui, elles étaient comme deux oiseaux sous une même aile. « Oh, mon Dieu, je vous en prie, épargnez-la », pria soudain Louise. Ils étaient si heureux ensemble.

De retour dans sa chambre, Louise s'habilla avec soin. Pieter lui avait dit qu'ils n'auraient pas besoin d'elle à l'atelier ce matin, car ils préparaient le décor pour son portrait. Elle passa une robe de l'été précédent, un peu défraîchie, mais d'un jaune lumineux. Son père aimait le jaune. Elle enfila une jupe bleue par-dessus, puis elle accrocha sa robe de soie verte à côté de la fenêtre afin qu'elle s'aère et que les faux plis s'estompent. Enfin elle se précipita en bas, avide de nouvelles et d'un petit déjeuner.

La voix de son père lui parvint alors qu'elle atteignait la porte de la salle à manger, et elle s'arrêta pour l'écouter. Il parlait de son voyage à Amsterdam.

— Je suis resté sur la péniche jusqu'à Leyde. Le vent faisait tourner tous les moulins, la ville avait l'air d'un mille-pattes rampant.

Le rire trop rare de sa mère tinta. En voyant Louise, il dit :

— Entre, Louise… Le petit déjeuner est servi.

Sur le buffet, Louise prit du pain, des tranches de viande, du fromage et une chope de petite bière tandis que son père continuait le récit détaillé de son voyage.

— J'ai dû passer la nuit à La Haye pour mes affaires et c'est là que j'ai rencontré Cornélius.

Il s'interrompit et se tourna vers la jeune fille.

— Alors Louise ? Dois-je m'attendre à une visite du jeune Reynier à son retour ?

Il était temps d'en finir avec cette histoire. Elle fit volte-face, Anneke la dévisageait. Non, pas ici… C'était une affaire privée entre son père et elle. Elle s'assit comme si elle n'avait rien entendu, mais son visage s'empourpra. Elle sentait leurs regards qui la scrutaient. Elle resta silencieuse. Pourquoi était-elle si faible ?

— Chaque chose en son temps ! conclut son père.

L'occasion de lui dire ce qu'elle avait sur le cœur s'était évanouie.

— Bien, poursuivit son père. Voilà. Cornélius suggère que nous unissions nos deux faïenceries. C'est une excellente idée. Il s'occuperait des carreaux et de la vaisselle, pendant que nous, chez Eeden, nous pourrions nous consacrer aux motifs chinois.

Louise fixait son assiette, découpant une fine tranche de jambon. Ce projet était vraiment crucial pour son père, pas seulement en tant qu'accord commercial. Il avait toujours voulu être libre d'exercer son art. Il était le meilleur peintre de motifs chinois de Delft, seulement chaque pièce prenait deux semaines à confectionner et à peindre. Elles se vendaient à de bons prix, mais c'était la faïence traditionnelle de Delft qui était leur gagne-pain. Louise sentit son cœur se serrer. Quand Reynier lui avait expliqué la situation, elle n'avait pas voulu l'entendre. Elle pouvait réaliser le rêve de son père. Il suffisait de dire « oui » à Reynier, et elle serait sa bonne fée.

La fille de cuisine entra et chuchota à Anneke que dame Drebbel souhaitait lui parler.

– Louise, t'ai-je déjà montré les deux morceaux de porcelaine caraque que ton grand-père a rapportés il y a cinquante ans, quand son bateau est revenu de Chine ? Je les ai conservés à l'abri des regards.

Louise sentait le sang battre à ses tempes.

– Je vais pouvoir m'en inspirer à présent. Les motifs seuls valent des centaines de florins. J'avais peur que quelqu'un ne me les vole ou les copie si je les montrais avant.

L'espace d'un instant, la pièce s'assombrit, et Louise pensa qu'elle allait s'évanouir. Son père, qui avait toujours semblé capable de lire ses pensées, ne voyait-il pas qu'il lui brisait le cœur ? Elle ne voulait pas de soupirants, elle ne voulait pas Reynier, elle voulait juste rester près de son père. Une nouvelle crainte grandissait en elle. Était-ce habituel ? Toutes les jeunes filles se sentaient-elles ainsi avant leur mariage ? Une vague de panique, comme les frissons qui annoncent une poussée de fièvre, la secoua. Elle tendit la main pour attraper un œuf dur dans un panier sur la table. Elle leva sa cuillère, l'abattit sur l'œuf et regarda, incrédule, les fragments de coquille éparpillés dans sa main.

Quand son père quitta la table, Louise sentit la rébellion monter en elle. Il s'agissait de sa vie et personne n'avait le droit de lui dicter son choix. Elle repoussa sa chaise.

— Père ! cria-t-elle en se dirigeant vers l'entrée.

Mais elle arriva trop tard. La porte de la rue claqua. Elle voulut courir après lui, Anneke lui barrait le passage.

— Tu m'as menti ! cria sa vieille nourrice en tremblant de rage. Dame Drebbel m'a tout dit. C'est une chose de filer sans m'avertir, c'en est une autre de s'afficher sans chaperon au marché et de se laisser embrasser comme la putain de Babylone ! Quelle honte !

Louise resta un instant bouche bée avant de retrouver l'usage de la parole :

— Mais Anneke, c'était Rey…

– Impossible. Monsieur Reynier est parti il y a une semaine.

Inutile de discuter avec Anneke quand elle était dans cet état. Elle tenta pourtant de se justifier :

– J'étais avec monsieur Kunst ; le maître l'avait chargé de me raccompagner.

– Comment peux-tu accuser ainsi ce pauvre garçon ?

– Accuser qui, Anneke ?

– Monsieur Reynier, bien entendu ! C'est déjà assez difficile pour lui d'être au loin alors que vos fiançailles devaient être annoncées.

– Nous ne sommes pas fiancés, Anneke ! s'écria Louise.

– Cachottière ! Bien sûr que vous êtes fiancés, il m'a dit…

– Il t'a juste dit qu'il partait à cause des rumeurs à notre sujet, tu n'as pas compris.

Mais Anneke ne semblait pas convaincue. Elle agita le doigt devant le visage de Louise.

– Depuis que vous êtes enfants, il te court après. Et jeune demoiselle que tu es, tu l'as laissé faire !

Cette remarque blessa Louise.

– Il est devenu un gentilhomme, avec de si belles manières.

– Tu as toujours voulu que nous soyons amoureux, Anneke.

– Amoureux !

Le mot sembla brûler la bouche d'Anneke.

– L'amour n'a rien à voir avec ça ! C'est Dieu qui fait les mariages, pas l'amour.

Louise sentit son cœur se serrer. Quand Anneke et Dieu s'unissaient, nul ne pouvait les arrêter.

— Crois-tu que Dieu ne pense qu'à mademoiselle Louise Eeden ? Et ton père ? Tu sais que son avenir dépend de toi. Tout le monde ici attend le rapprochement des deux grandes faïenceries.

— Mais ce sont leurs affaires, Anneke !

— Crois-tu que Dieu ne se mêle pas des affaires ? N'a-t-il pas guidé les bateaux de nos braves capitaines quand ils sillonnaient les océans pour rapporter les richesses qui font la grandeur de notre pays ? Dieu et les affaires doivent-ils être tenus en échec parce que Louise Eeden refuse de se plier à Sa volonté ?

Louise fit une dernière tentative pour la raisonner.

— Anneke, je ne vais pas épouser un capitaine !

C'était une boutade, mais le Dieu d'Anneke n'avait guère d'humour. La nourrice jeta un dernier argument qui fit mouche.

— Pense à ta pauvre mère, Louise. Je l'entends tousser la nuit. Je l'entends pendant que tu joues à la dame, là-haut dans ton grenier. Ne voudrais-tu pas qu'elle te voie mariée avant d'être emportée ? Qui sait ce que le Seigneur lui réserve après ?

Les larmes montèrent aux yeux de Louise tandis que la rage rongeait son cœur. Anneke avait raison, sa mère ne vivrait sans doute plus longtemps. Louise avait bien vu sur ses joues ces taches d'un rouge vif qui la rendaient si tragiquement belle, de la terrible beauté de la maladie qui la dévorait de l'intérieur. Mais comment Anneke pouvait-elle suggérer que Dieu accueillerait sa mère autrement que les bras ouverts ?

Anneke recula en portant sa main à la bouche, comme si elle venait de réaliser la portée de ses paroles. Elle esquissa un geste d'apaisement inutile tandis que Louise montait en courant les escaliers jusqu'à sa chambre. Là, elle s'assit, et fixa le mur sans le voir, respirant par la bouche jusqu'à ce qu'elle soit aussi sèche que de la poussière d'été.

Le pire était d'admettre qu'Anneke avait raison. Raison à propos de son père. Et de sa mère. Pauvre mère, elle était si forte auparavant, si joyeuse, elle semblait indestructible. Quand Louise était petite, elles se promenaient ensemble à l'extérieur de la ville, au-delà des remparts. Sa mère riait dans le vent, son manteau se gonflait, et ses beaux cheveux blonds flottaient derrière elle. Reynier les accompagnait parfois, mais il dépassait rarement les premiers champs. Ensuite, elles continuaient toutes les deux et, pendant que Louise cueillait des fleurs sauvages et sautait dans les flaques, sa mère chantait des chansons traditionnelles.

Elles parlaient peu, mais partageaient un émerveillement commun pour la nature, le rose éclatant des nielles, les grappes de joncs pointus qui poussaient dans ces lieux marécageux. Elles attendaient, main dans la main, qu'un papillon ouvre ses ailes. Était-ce un vulcain ? Elles passaient de longs moments à suivre le cri rauque d'un râle des genêts qui se déplaçait, invisible, dans l'herbe haute de la plaine.

Mais un jour d'avril, loin de la maison, une averse glacée les surprit. Une fois rentrée, Louise se réchauffa rapidement, mais sa mère dut s'aliter.

Quand Louise, qu'Anneke tenait à l'écart, avait réussi à se faufiler dans la chambre de sa mère et avait posé sa tête sur sa poitrine brûlante, elle avait perçu un crépitement, comme le bruissement d'une étoffe rêche accompagnant chaque inspiration.

Le printemps arriva, mais sa mère ne quitta pas sa chambre. L'été vint puis l'automne et peu à peu Louise comprit que sa mère ne sortirait plus, et que leurs marches dans la campagne appartenaient au passé. Louise avait alors tout juste dix ans.

Elle ferma les yeux pour retenir ses larmes, prit une profonde inspiration et dirigea ses pensées vers Reynier. Comme cela arrivait souvent lorsqu'elle pensait à lui, son indécision remonta à la surface, comme des bulles surgissant des profondeurs du canal. Il traitait toujours Anneke avec le respect le plus courtois et elle adorait ses attentions.

Elle songea ensuite à Pieter et à ce que Reynier avait déclaré à son sujet. Oui, il ressemblait à une marionnette et ses ficelles s'emmêlaient souvent. Il s'était montré maladroit quand ils avaient grimpé sur les remparts, mais tout ce qu'elle voyait c'étaient ses mains dessinant des images pour elle dans les airs et cela l'emplissait d'un bonheur lumineux. Elle avait été ridicule de comparer une connaissance de quelques heures à Reynier, qu'elle avait connu toute sa vie. Elle apprendrait à aimer Reynier, par égard pour son père et pour la paix de sa mère.

Elle rouvrit les yeux. Elle sentit une fragile sérénité s'installer en elle. Si Reynier réitérait sa demande en mariage, elle l'accepterait. Jusque-là, il n'y avait rien qu'elle puisse faire ou dire. Elle était certaine à présent que le rapprochement des deux faïenceries dépendait d'elle, et elle était prête à tout pour le bonheur de son père. La santé de sa mère s'améliorerait avec l'arrivée du beau temps, elle lui parlerait alors de sa décision.

Louise examina les détails de son plan. Il ne restait plus qu'une chose à faire. Elle se dirigea vers son écritoire surchargé d'esquisses pour leur télescope. Elle dévissa son encrier, sortit une feuille de papier dentelée, inspecta la plume et commença à écrire.

Moi, Louise Maria Eeden… Elle s'arrêta pour réfléchir… *jure qu'en vérité j'accepterai la demande en mariage de Reynier Anthonie de Vries et me tiendrai, jusqu'à son retour, à cet engagement.*

Elle signa et inscrivit la date : 21 avril 1654. Puis elle se leva, se demandant ce qu'elle allait faire de cette promesse écrite à sa seule intention. Elle n'avait aucun endroit secret où la conserver. Son petit bureau ne faisait pas l'affaire. Soudain elle eut une idée. Les volets intérieurs de la fenêtre étaient repliés. Elle traversa la chambre et tira sur l'un d'eux. Il s'ouvrit en répandant une odeur de bois neuf et de peinture fraîche. Personne n'ouvrirait ces volets avant les froids mordants de l'hiver. Et d'ici là son serment aurait trouvé résolution. De la résine suintait d'un nœud du bois. Elle pressa la feuille jusqu'à ce qu'elle y reste collée et referma le volet.

« Six mois de répit, Louise, chuchotait une petite voix dans sa tête, beaucoup de choses peuvent arriver en six mois. »

Les lentilles
d'Amsterdam

Louise passa la journée fortifiée par sa nouvelle résolution et par un sentiment inhabituel de grande vertu. Anneke rasait les murs ; sa remarque à propos de sa mère lui pesait visiblement. Louise se réjouit qu'elle fût mal à l'aise. D'autres se seraient excusés, mais Anneke n'en était pas plus capable que l'eau de remonter la rivière. Finalement, Louise eut pitié d'elle, et l'attira dans la réserve pour planter un baiser sur sa joue ridée.

Dès le soir, la vertu commença à perdre de son attrait. Louise était remontée dans sa chambre et se disait qu'elle devrait s'occuper, ranger son bureau par exemple, quand les marches de l'escalier craquèrent sous les pas de son père. Il y eut un léger coup à la porte, et il apparut.

Il semblait hésitant, presque interrogateur; cela ne lui ressemblait pas. Elle fut frappée par sa prestance. Sa barbe était parfaitement taillée, et sa moustache recourbée encadrait un sourire qui faisait écho à l'étincelle dans ses yeux. Elle essaya de se rappeler si les yeux de Reynier brillaient, mais le souvenir de son visage était flou. Tout d'un coup, elle comprit pourquoi son père paraissait hésitant : il devait se demander si les choses avaient changé entre eux depuis les rumeurs sur ses fiançailles.

— Père! dit-elle en tendant les bras, et elle vit avec plaisir son visage se détendre et un regard malicieux l'éclairer.

Il ressemblait à un écolier qui cacherait une pomme volée derrière son dos.

— Ferme les yeux et tends les mains, lui ordonna-t-il.

Elle s'exécuta. Elle reçut d'abord un baiser sur la joue, puis il plaça un petit paquet en tissu entre ses doigts.

— Nos lentilles! s'exclama-t-elle en rouvrant les yeux.

— Regarde-les, Louise, elles sont magnifiques.

Elle défit prudemment le tissu. Il y avait deux petits paquets à l'intérieur, emballés dans de la soie. Elle défit le plus gros et une magnifique lentille en verre apparut, qui lui fit penser à un œil de poisson.

— C'est l'objectif, dit son père, alors qu'elle la contemplait, admirative.

– Elle est parfaite, sans une seule bulle! Comment peut-on fabriquer un objet si pur? On dirait de la glace.

Elle commença à ouvrir le second paquet.

– Fais attention de ne pas les cogner l'une contre l'autre.

– Conviennent-elles à notre télescope? demanda-t-elle.

– Si mes mesures sont correctes, oui. Baruch dit que nous devrions les monter dans de la résine. S'il est nécessaire de les ajuster, nous pourrons la faire fondre et les replacer.

– Comment est-il, ce Baruch? interrogea Louise.

Son père regarda à l'extérieur, au-delà des arbres.

– Tu te souviens, je t'ai dit que j'avais rencontré quelqu'un de vraiment fantastique?

– C'était lui?

– Il est très jeune et juif. Et Louise, quel esprit, quelles idées! Comme j'aimerais que tu le rencontres.

Il frappa du poing dans sa paume.

– Je sais! La prochaine fois que j'irai à Amsterdam, tu m'accompagneras et…

Il s'arrêta net et fit un geste vague de la main, comme pour retirer ce qu'il avait dit.

– Excuse-moi, Louise, j'avais oublié. Tu auras sûrement tes propres projets.

Louise lui prit la main.

– Non, père. Rien ne changera. Quel que soit l'avenir, nous devons continuer à faire des projets ensemble. La prochaine fois que vous irez à Amsterdam, je vous accompagnerai et je rencontrerai Baruch.

Reynier avait disparu de son esprit, elle ne parvenait même plus à se le représenter. Mais elle avait pris sa décision et s'y tiendrait. En attendant, elle avait l'été devant elle. Son portrait l'occuperait agréablement. Et les deux lentilles brillaient sur ses genoux comme des boules de cristal. Elle présenterait Pieter à son père, ils parleraient ensemble de ses dessins, puis elle irait à Amsterdam.

— Quand le télescope sera-t-il prêt ? demanda-t-elle. Pourrons-nous bientôt le monter devant la fenêtre ?

— J'apporterai les lentilles à la faïencerie demain.

— Et tu me parleras de notre polisseur de lentilles. Comment s'appelle-t-il déjà ?

— Baruch… Baruch Spinoza. Mais pour l'instant je dois descendre voir ta mère.

Il l'embrassa et quitta la pièce.

Le lendemain matin, Louise se tenait devant la porte de l'atelier de maître Haitink, émerveillée. Les rideaux étaient ouverts et la pièce était inondée de lumière, mais ce n'était pas le seul changement. Un de ses angles avait été transformé en une véritable pièce. Même si elle n'avait que deux côtés, c'était magique. Sur la gauche se trouvait une table où s'empilaient des livres reliés de cuir, un globe terrestre, un télescope, des partitions de musique ainsi qu'un buste, peut-être d'Aristote, et une urne de pierre ornée d'un panneau vierge de toute inscription. Sur le sol qui semblait carrelé, s'étalait un somptueux tapis de Turquie d'un bleu profond, dont les verts et les rouges accrochaient le regard. Près de la table se trouvait une chaise – sa chaise ? – légèrement en retrait, comme si elle venait de se lever.

À droite, il y avait une petite épinette, son couvercle peint relevé comme une aile d'oiseau. Un tableau était accroché sur le mur du fond, un paysage marin de bateaux aux voiles brunes passées, ballottés sur une mer agitée. Sur le sol était posée une petite guitare. Louise allait se rendre dans la pièce, s'y asseoir, en prendre possession, et faire sienne la magie du lieu quand elle sentit un coup sec sur son bras.

– Ne reste pas devant la porte, tu empêches les honnêtes gens de passer !

Louise s'écarta pour laisser le passage à Anneke, soutenue par Mme Haitink.

– Qu'on me donne une chaise ! ordonna Anneke. Pourquoi les gens n'installent-ils pas leur grenier au rez-de-chaussée comme de bons chrétiens ?

Lorsqu'elle aperçut le décor dans le coin de l'atelier, elle s'écria :

– Une chaise !

Louise eut l'étrange sensation de se voir elle-même, âgée de soixante-dix ans, s'installant lourdement au milieu de son propre portrait. Depuis leur dispute et le baiser conciliant de Louise, Anneke avait changé. Louise ne savait pas vraiment en quoi. Peut-être la pensait-elle prête à accepter le mariage avec Reynier? Une fois assise, elle détailla la pièce.

– Quels enfantillages! lança-t-elle d'un ton acerbe.

Anneke avait insisté pour inspecter l'atelier et sans doute, bien qu'elle ne l'ait pas avoué, souhaitait-elle en profiter pour voir le maître.

Mais où était-il? En montant les marches, Louise s'était demandé si cette fois il ressemblerait à un maître d'armes, un troubadour ou un clown. Il apparut à ce moment, de derrière la porte ouverte d'une massive armoire peinte où était rangé le matériel de peinture. Alors Louise vit Anneke se raidir et sa bouche se crisper en signe de réprobation.

Le maître était sobrement habillé de noir. Il portait un simple foulard autour du cou, comme les pasteurs, et tenait un petit livre noir à la main. Il ignora sa femme, Louise, et s'avança vers Anneke pour s'incliner brièvement.

Anneke, visiblement décontenancée, semblait se demander si elle avait affaire au diable ou à un prêcheur.

– Bienvenue, gente dame, dit-il. Je vous prie d'excuser cette mascarade.

D'un mouvement négligent du poignet, il désigna l'atelier transformé.

– C'est seulement que le portrait le nécessite.

Louise se crispa, avant de s'apercevoir que son Anneke dure et froide comme la pierre était en train de fondre.

– Laissez-moi vous expliquer, commença le maître.

Anneke ne se laissa pas amadouer immédiatement. Elle fit de petits mouvements défiants des mains et des épaules, mais bientôt Louise la vit esquisser un sourire de satisfaction.

– Ma chère Kathenka, ajouta le maître comme s'il venait d'être frappé par une idée subite. Je crois que nous pourrions enfreindre la règle… Notre visiteuse apprécierait sûrement un doigt de votre vin maison, après cette rude ascension ?

Kathenka fit la révérence et disparut. Elle revint si vite que Louise soupçonna que le verre avait été préparé à l'avance. Elle retint à grand-peine un sourire ; toute cette mise en scène était prévue.

– C'est excellent pour le cœur, assura le maître de la voix docte d'un médecin.

Anneke relâcha sa garde.

Pendant la demi-heure suivante, le maître et Kathenka négocièrent avec succès la venue quotidienne de Louise. Si nécessaire, elle se changerait dans l'intimité de la chambre de la maîtresse des lieux et, lorsqu'Anneke ne pourrait l'accompagner, l'apprenti Pieter Kunst s'en chargerait.

Pieter sortit d'un recoin de l'atelier. Il portait le costume du plus humble des apprentis et s'inclina devant la vieille nourrice. Anneke le jaugea avec attention et décida qu'il ne représentait pas une menace pour la réputation de Louise, pas plus qu'un rival pour le beau Reynier.

Quand il ne resta plus dans le verre qu'une goutte abandonnée aux convenances, Anneke se laissa guider dans les longs escaliers. Louise pria pour qu'elle ne les gravisse plus jamais.

Le silence s'abattit sur l'atelier. Louise s'attendait à ce que le maître se gausse de la pauvre Anneke, qui était si visiblement tombée sous son charme. « Voilà une femme bonne » fut son seul commentaire.

Louise lui en sut gré. Ce n'est que plus tard, quand il eut ôté son manteau noir et enfilé sa blouse, qu'il s'autorisa à se dérider.

— Un jour, mademoiselle Louise, dit-il, vous devriez demander à Kathenka de vous donner une goutte de ce vin. Il ferait fondre le cœur du docteur Calvin en personne.

Baruch Spinoza

Le tonnelier avait terminé de monter les lentilles et était reparti, le visage rayonnant après que le père de Louise lui avait prodigué des louanges sur son travail. Le fin télescope reposait sur son trépied devant la fenêtre de la chambre de Louise. La lumière du soir baignait la pièce. Ils dirigèrent le télescope vers les remparts, où un soldat de la garde grattait paresseusement ses piqûres de puce. Puis ils regardèrent une grive siffler un chant qui semblait ridiculement ténu pour un oiseau qu'ils avaient l'impression de pouvoir toucher. Enfin ils observèrent les hauts clochers et le mouvement des ailes des moulins dans les villages à l'horizon.

– J'aimerais qu'il fasse déjà nuit! Je suis si impatiente de voir ma première étoile, déclara-t-elle.

Elle tapota la banquette afin de convaincre son père de s'y installer et de prolonger sa visite.

– Vous m'avez promis de me parler de l'homme qui a poli nos lentilles. Et de m'emmener là-bas.

Son père rit.

– Tu es trop grande pour ce petit jeu !

– Je vous en prie, racontez-moi votre voyage comme avant, comme si nous partions à l'aventure tous les deux. J'en ai assez d'être enfermée ici à Delft et...

Sa voix faiblit ; elle s'aventurait sur un terrain dangereux. Elle prit la main de son père et l'obligea à s'asseoir.

– Souvenez-vous, vous disiez que je pouvais lire dans vos pensées. Avez-vous à présent de noirs secrets que vous ne désirez pas me confier ?

– Des secrets peut-être, mais ils ne sont pas noirs. Bien, je vais essayer de te faire vivre mon voyage. Tu es prête ? Alors prends mon bras, nous nous trouvons sur un chemin boueux.

Louise ferma les yeux et, en une seconde, elle s'imagina marchant à ses côtés.

– Où sommes-nous ? demanda-t-elle.

– À Amsterdam. Quand nous passerons le petit pont, nous serons sur Jodenbreestraat. Nous allons rendre visite à Rembrandt ; c'est un peintre célèbre.

– Est-ce l'homme que maître Haitink appelle van Rijn ?

– Oui. Mais il préfère utiliser son prénom. Il y a beaucoup de van Rijn, mais un seul Rembrandt. J'aurais aimé qu'il peigne ton portrait.

– Oh non, maître Haitink me convient parfaitement! Il parle souvent de van Rijn; ils étaient étudiants ensemble. Pourquoi allons-nous chez lui?

– Pour voir son cabinet de curiosités, il va te plaire. Sa maison est près du quartier juif, où nous irons ensuite récupérer nos lentilles.

– Des curiosités? Vous voulez parler de coquillages, d'animaux empaillés et d'armures?

– Exactement! Comment le sais-tu?

– Maître Haitink possède ce genre de choses au fond de son atelier.

– Nous verrons des oiseaux de paradis dont les queues ondoyantes ont des couleurs incroyables, des armures japonaises en bambou et un empereur romain ou deux.

– Empaillés?

– Non! répondit-il en riant. Des bustes en marbre!

Louise se rapprocha de son père. La magie fonctionnait toujours. Elle était libre, vivant mille aventures avec lui, échappant au terrible enfermement de l'hiver derrière les remparts de la ville et à ses sombres pensées. Elle s'imaginait marchant à côté de son père, une main posée sur son bras, tandis qu'il lui parlait de la collection du grand peintre.

– Il y a dans son cabinet des échantillons de minéraux et une corne de licorne, un verre vénitien, un malheureux vase en porcelaine chinois qu'il voulait absolument me vendre. Je suppose que ces objets l'aident à trouver des idées, de l'inspiration pour ses peintures. J'ai suggéré que la corne était une dent de baleine, mais il m'a dit la tenir d'un homme qui avait réellement vu la bête fabuleuse. Puis il a recommencé à vouloir me vendre ce « vase sans prix », alors j'ai pris la fuite.

– Et dans le quartier juif ? Comment est-ce ?

– Comme le reste d'Amsterdam. Et, Louise, respire les odeurs ! Il y a une boulangerie à côté de la maison de Rembrandt, et des effluves délicieux de pain frais chatouillent les narines. Les juifs d'Amsterdam viennent du Portugal et font du commerce. Ils reçoivent le sucre des Amériques, des noix, des épices, des dattes et des raisins d'Afrique et de la Méditerranée. Ils parlent la langue portugaise, douce et mélodieuse, contrairement à l'espagnol qui est dur et brillant. Et ces odeurs : cannelle, clous de girofle, épices... c'est à se damner ! À la boulangerie j'ai acheté un gros sachet de biscuits.

Louise sentit l'eau lui monter à la bouche.

– Puis-je en avoir un ?

– Pas maintenant, rit-il. Ils sont pour Baruch, notre polisseur de lentilles. Il vit près du vieux chantier naval, dans un quartier très différent du reste de la ville. Derrière chaque porte, il y a des boutiques, des ateliers... Des tailleurs sont installés près des fenêtres pour avoir de la lumière. Les portes s'ouvrent et se ferment, les gens vont et viennent, et on a l'impression qu'un cœur différent y bat.

– Et Baruch?

– J'ai frappé à sa porte. Je m'attendais à découvrir un vieil homme barbu, mais c'est un garçon qui ressemblait à un apprenti qui m'a ouvert. J'ai demandé à parler à son maître. Il a ri en me répondant que le maître, c'était lui. Puis il m'a conduit dans son atelier, où il polit les lentilles. Difficile d'imaginer que nos lentilles proviennent de cet endroit. La poussière résultant du polissage recouvrait tout. Il m'a montré comment il calculait la courbure de la lentille, comment il rabotait et polissait le verre grossièrement taillé avec des poudres d'émeri de plus en plus fines.

– Des poudres d'émeri?

– C'est un minéral plus dur que le verre.

– Pourquoi a-t-il accepté d'être interrogé par vous, un simple gentil[1]?

– Juif, gentil, quelle différence? Il a vingt et un ou vingt-deux ans, des cheveux longs et sombres, pas une perruque, les siens. Il ne porte pas de barbe, son nez est droit, il a une légère fossette au menton et il était affamé.

– De connaissances?

– Oui, mais surtout de nos biscuits!

– C'est ce que je craignais, dit Louise mélancoliquement. De quoi avez-vous parlé?

– Des lentilles, d'astronomie, d'étoiles. Nous nous sommes assis dans sa cour intérieure en mangeant les biscuits et en sirotant un vin épais provenant de l'île de Madère.

1. Nom que les Juifs donnaient aux païens.

– Pourrais-je en avoir ?

– Je suis sûr qu'il t'en proposera. Puis nous avons parlé de télescopes...

La voix de son père faiblit.

– Vraiment ?

Louise s'imagina dans la cour intérieure abritée, buvant un vin sucré et exotique, jusqu'à ce que son père sorte de sa rêverie.

– Te souviens-tu, Louise, du jour où nous avons fait flotter des petits bateaux en roseaux dans un tonneau d'eau de pluie ? Tu avais remarqué que si l'eau était très calme, les bateaux semblaient attirés les uns vers les autres. C'est ce qui s'est passé entre Baruch et moi. Nos esprits se parlaient avant que nous ayons prononcé un mot. Il faisait de plus en plus sombre dans la cour, une première étoile est apparue dans le ciel au-dessus de nous. Alors il a dit : « Montons sur le toit, et je vous montrerai mon télescope le plus récent. »

– Sur le toit... comme les cigognes ?

Louise rit en les imaginant sur une de ces plateformes que les gens construisaient pour encourager les cigognes à bâtir leur nid sur leurs toits. On disait qu'elles portaient chance à la maison où elles s'installaient.

– Il a construit une plateforme entre les deux pentes d'un toit, pour pouvoir embrasser le ciel nocturne, à une ou deux cheminées près. Oh, Louise, attends de voir ! C'était la première fois que j'utilisais un vrai télescope et non une simple longue-vue. Comment te décrire...

– Continuez.

– C'est… C'est comme plonger dans une eau claire et s'élever parmi des traînées d'étoiles. J'avais toujours pensé à la Voie lactée comme à une couche de peinture à la surface du ciel, mais c'est totalement différent. Le ciel est profond, constitué d'une myriade d'étoiles. Leur scintillement semble une phosphorescence troublée par le sillage d'une rame céleste. Je suis resté sans voix puis j'ai bégayé : « Une lentille supplémentaire, Baruch, et je serai devant le Créateur en personne ! » Il parlait d'une voix douce, Louise, mais ce qu'il a dit m'a secoué jusqu'au plus profond de mon être.

– Qu'a-t-il dit ?

– « Il n'y a pas de créateur, monsieur Eeden, et c'est bien là le visage de Dieu lui-même que vous regardez. »

Cette fois, Louise était vraiment sur le toit à leurs côtés, écoutant leur conversation tandis qu'ils se penchaient sur le télescope. Oserait-elle les interrompre ?

– Mais père, il doit y avoir un créateur s'il y a une création.

– Souviens-toi de tes cours de logique, souviens-toi d'Aristote. C'est un sophisme. Quand nous utilisons le mot « création » nous impliquons qu'il y a un créateur. Si nous utilisions un mot différent, par exemple « nature », pour décrire l'univers, nul créateur ne serait nécessaire, nous dirions seulement qu'il est naturel.

– Mais quelqu'un est à l'origine de l'univers !

– Non. Tu as vu le gel s'étendre sur une fenêtre, tu as vu les feuilles des arbres pousser, ils sont leur propre origine, leur propre fin. Personne ne leur ordonne : « Feuilles, poussez ici ! »

– Mais s'il n'y a pas de créateur, où est Dieu ? L'avons-nous perdu ?

– Non, ma chérie, nous l'avons juste cherché au mauvais endroit.

– Expliquez-moi.

– Regarde…

Son père se leva et retourna le télescope.

– Viens ici, Louise. Recule-toi un peu, n'y colle pas ton œil.

– Je ne vois rien. Le télescope est dans le mauvais sens.

– Regarde au milieu. Tu vois ce petit disque de lumière ?

Et elle la vit. Loin à l'intérieur du tube, il y avait une image miniature. Quelque chose de la taille d'une fourmi y bougeait. Elle regarda par-dessus le viseur pour vérifier de quoi il s'agissait et vit le vieux Claes, le gardien de la poudrière, qui arpentait la route. Elle regarda de nouveau dans le télescope. Des objets semblables à des choux se dressaient au-dessus du minuscule personnage. Elle se rendit compte qu'il s'agissait des arbres immenses qui ombrageaient le Doelen.

– Je ne comprends pas, père ! À quoi bon se servir ainsi d'un télescope ?

102

— C'est là la question. Et c'est ce que Baruch dit que nous avons fait avec Dieu. Dieu nous a donné un télescope – notre cerveau – pour le voir, mais nous n'avons pas aimé ce que nous avons vu : la nature, l'amour, la faiblesse humaine, la liberté de penser. Nous avons trouvé cela inconfortable. Nous ne voulions pas nous rapprocher de la vie, mais au contraire nous en éloigner. Alors nous avons retourné le télescope et repoussé Dieu dans les cieux lointains, là où nous n'avions plus à nous en préoccuper.

— Cela signifie qu'en réalité Dieu est là, tout près, à Delft. Qu'il est partout !

Louise s'arrêta, goûtant cette nouvelle idée. Une sensation inattendue de chaleur se répandit en elle.

— J'aime cette idée, déclara-t-elle. Cela semble juste, non ?

Pas étonnant que son père ait été attiré par cet étrange jeune homme. Elle-même se sentait attirée par lui. Elle tendit le bras et tira gentiment la barbe de son père.

— Je devais le faire, expliqua-t-elle.

— Pourquoi ?

— Afin de pouvoir dire que j'ai tiré la barbe de Dieu !

Elle éclata de rire et virevolta, faisant voler ses jupes.

— Il vous a vraiment plu ce Baruch, n'est-ce pas ? demanda-t-elle en se retournant.

Son père prit son temps pour répondre.

– Nous avons passé un long moment à observer les étoiles. Ensuite, nous nous sommes appuyés sur les tuiles tièdes et nous avons regardé la Voie lactée qui tournoyait au-dessus de nous tandis qu'il continuait à déverser son flot d'idées. Il poursuit cette idée folle de démontrer ses thèses, comme s'il s'agissait de théorèmes de géométrie.

– Avec C.Q.F.D. à la fin ? suggéra Louise.

Son père rit.

– Je devrais le lui suggérer ! *Ce qu'il fallait démontrer.* Vois-tu, Louise, toi et moi cherchons peut-être le visage de Dieu mais Baruch Spinoza, lui, veut tailler des marches dans le rocher pour que nous puissions le suivre dans sa recherche.

Le point de fuite

Lors de sa visite suivante à l'atelier, Louise ne mit pas sa robe verte, elle l'emporta avec soin dans un sac en lin, et Kathenka la suspendit dans sa chambre afin qu'elle soit prête pour les séances de pose. Louise s'assit enfin sur la chaise mise en place pour elle et regarda autour d'elle. Elle se rendit compte, un peu déçue, que la pièce ne semblait pas aussi réelle qu'au premier coup d'œil. Ce qu'elle avait pris pour des carreaux sur le sol n'était qu'un entrecroisement de ficelles. Elle interrogea Pieter à ce sujet, et il rit.

– Nous les peindrons comme si c'étaient des carreaux. Le plancher d'un grenier ne serait pas approprié à la chambre d'une « femme de science ».

Il la taquinait, mais avec gentillesse. Rien à voir avec le sentiment de médiocrité qu'elle ressentait lorsque Reynier se moquait d'elle.

– Nous devrons également agrandir les fenêtres, ajouta-t-il. Et opter pour du vitrail, en contrepoint de l'épinette. Quelle sorte de carreaux aimeriez-vous pour le sol ?

– Du marbre noir et blanc, s'il vous plaît, dit-elle en pensant à l'entrée de leur maison. Mais tout cela représente tellement de travail… Et juste pour mon portrait.

– Le décor est vraiment important ; il aide à constituer le portrait. Tous les objets y sont liés, ce sont des symboles en quelque sorte, qui donnent des indices sur les centres d'intérêt du sujet, et même sur ses désirs.

– Ses désirs ? demanda Louise soudain sur la défensive.

– Parfois nous utilisons ce que nous savons, reprit-il en rougissant. Pour le tableau au mur, par exemple, nous avions pensé à une carte, mais c'était trop triste. Puis le maître a suggéré ceci.

Il désigna le tableau d'un cupidon avec son arc et ses flèches.

– Kathenka a dit non. Alors je me suis souvenu de la façon dont les nuages se déplaçaient au-dessus des champs quand nous étions sur les remparts, et j'ai pensé à la mer, aussi avons-nous choisi cette marine de van Goyen.

Elle se rappela ce moment sur les remparts, sentit le rouge lui monter aux joues, et détourna les yeux. Que trouvait-elle donc de si attirant chez ce jeune homme dégingandé ?

Elle observa de nouveau le paysage marin, dont les gris et les verts étaient seulement troublés par la géométrie anguleuse de voiles brunes sur les vagues.

– Je l'aime bien, dit-elle en souhaitant qu'ils déplacent le cupidon dans une autre pièce.

Son père était parti pour la faïencerie, et la maison semblait silencieuse et vide. Louise avait effectué les corvées qu'Anneke l'obligeait à accomplir pour ne pas devenir « une enfant gâtée ». Puis comme souvent, elle était allée s'asseoir près de sa mère quelque temps. Elle se rappela une remarque de Reynier un jour qu'il l'avait trouvée à son chevet. « Vous ne devriez pas vous en vouloir, avait-il murmuré d'une voix réconfortante. Votre pauvre mère aurait pu être prise sous une pluie battante à n'importe quel autre moment. »

L'esprit d'une fillette de dix ans était un terrain fertile pour de telles suggestions et facilement impressionnable. Et depuis, un sentiment de culpabilité la submergeait quand elle prenait la main translucide qui reposait sur les couvertures dans la sienne. Elle aurait aimé avoir quelqu'un à qui se confier, cela avait été un tel soulagement de s'ouvrir à Kathenka.

Sa mère étant malade, Anneke veillait à ce que Louise accomplisse ses tâches ménagères. Mais une fois qu'elle avait terminé elle était libre de parcourir la ville, se liant avec les gens qui voulaient bien lui parler, les accablant de questions à tout propos, des moulins au brassage de la bière. Anneke essayait d'exercer une influence religieuse sur Louise. Elle était une stricte calviniste pour qui Dieu était une sombre réalité.

Son père, lui, insistait pour que Louise se forge sa propre opinion – « Tu ne peux croire que ce qu'il t'est possible de croire, ma chérie » disait-il – mettant ainsi à mal les théories d'Anneke. Car il y avait une foi qu'Anneke abhorrait plus que toute autre : le catholicisme. Et elle défendait ses convictions en s'appuyant sur des faits concrets. Il était arrivé plus d'une fois qu'elle raconte à Louise des histoires abominablement détaillées sur l'Inquisition espagnole avant de l'envoyer se coucher. Louise éprouvait depuis une peur sincère des Espagnols, et ne parlait pas à son père des avertissements lugubres d'Anneke.

« Les joues de mère semblent un peu moins rougies aujourd'hui, se dit Louise en la dévisageant, et sa respiration est plus aisée. »

Mais sa mère se fatiguait très vite, aussi, après avoir arrangé ses oreillers de manière plus confortable, elle la laissa se reposer.

Elle essaya son luth mais il était désaccordé, et l'épinette aussi.

Son esprit l'entraînait vers l'atelier. Serait-ce effronté de s'y rendre sans y être invitée ? Finalement, sa décision prise, elle prévint sa mère qu'elle s'y rendait, et elle se retrouva marchant d'un bon pas dans les rues ensoleillées.

Elle avait l'intention de demander à Kathenka si elle pouvait monter. Seulement une fois arrivée elle n'osa pas et lui proposa de l'aider à nettoyer l'auberge, mais Kathenka l'envoya à l'atelier avec un sourire compréhensif. En haut des escaliers, Louise reconnut l'odeur de l'huile de lin utilisée pour les mélanges, et celle de la térébenthine servant à diluer les peintures et nettoyer les pinceaux. À l'intérieur, quelqu'un donnait des coups de marteau. Lorsque le bruit s'arrêta, elle frappa à la porte.

– Entrez !

C'était la voix du maître.

Elle ouvrit la porte. Pieter était perché au sommet d'une échelle, il enfonçait un clou dans le mur.

– Ah, c'est mademoiselle Louise.

– Approchez, ma chère. Ne faites pas attention à Pieter ; il devait jouer votre rôle et poser pour moi, mais je préfère l'original. Aujourd'hui, nous placerons le joyau dans sa couronne. Asseyez-vous. Nous devons créer la magie, puis je vous expliquerai les merveilles de la perspective.

Louise prit la pose, pendant que le maître se démenait derrière la toile. Elle aurait aimé voir ce qu'il faisait. Parfois il levait un pinceau, comme pour mesurer un angle, d'autres fois il utilisait un fil qu'il étirait entre ses mains. À deux reprises, il déplaça le chevalet. Quand il fut satisfait de sa position, il lui demanda de bouger sa chaise vers la droite.

– Non, non, pas autant!

Pieter s'approcha et s'agenouilla derrière lui. Ils chuchotèrent ensemble un bon moment. Enfin, ils eurent l'air satisfaits.

– Vous pouvez venir regarder, mon enfant. Faites bien attention au chevalet! prévint le maître. À partir de maintenant, même si nous déplaçons la toile, votre chaise et le chevalet doivent rester exactement au même endroit. Je vais vous montrer pourquoi.

Louise vint s'agenouiller devant le chevalet. Son corps esquissé sur la toile était comme enfermé dans un quadrillage de lignes droites, et le réseau de carreaux que Pieter avait tracé sur le sol convergeait vers un seul point, son œil droit.

– Aïe! dit-elle. Vous avez planté une épingle dans mon œil.

– Vous la voyez donc. J'espère que cela ne vous fait pas mal, répondit le maître en riant. Ja, mon enfant, c'est là que toutes ces lignes se rencontrent. L'épingle est à l'endroit où se dirigeront tous les regards.

Il lui lança un coup d'œil complice.

– Pieter est trop bête pour comprendre, malheureusement.

Louise leva les yeux. Le garçon souriait. Le maître continua :

– Lui il vous peindrait ici, au milieu... Mais ce n'est pas la méthode de maître Haitink. Non, cela ressemblerait à n'importe quel portrait. Je veux que le regard des gens soit attiré par vous, mais sans qu'ils sachent pourquoi. Pour cela j'utilise la même méthode qu'avec le mendiant de la porte du béguinage. Je vous transfère dans mon endroit secret. Voyons si vous pouvez deviner où il se trouve. C'est un endroit invisible pour l'œil non averti, un endroit vers lequel se dirigent toutes les lignes, mais où on n'en voit aucune.

Il s'arrêta, un sourcil levé, très content de son effet.

– C'est une devinette ? demanda Louise en riant.

Elle aurait sans doute pu deviner, toutefois elle préférait qu'il lui explique.

– Regardez, dit-il, s'agenouillant devant la toile. Regardez ma petite ficelle accrochée à l'épingle. Quand je la déplace elle est parallèle aux carreaux de Pieter, à la plinthe, aux fenêtres... Toutes ces lignes convergent au même endroit, ici, sur cette épingle dans votre œil. Ce point est appelé le point de fuite. Le point où convergent toutes les lignes, mais d'où aucune n'est visible.

C'est là que vous vous trouverez. Et c'est vers cet endroit précis que l'œil est d'abord attiré, aussi sûrement qu'un chien est attiré par un os. Donnez-moi votre main s'il vous plaît, il faut que vous m'aidiez à me relever.

Louise l'aida à se remettre debout. Elle remarqua l'expression amusée de Pieter tandis que le vieil homme époussetait ses genoux.

Il lui jeta un coup d'œil critique.

– Voyez-le qui paresse, comme d'habitude. Allez mes enfants, nous avons du travail.

Les petits bateaux

Les semaines passaient et Louise était heureuse. Le maître semblait réticent à peindre la partie du portrait où elle apparaissait. Il disait qu'il fixait les couleurs du fond, et il s'approchait lentement des lignes au fusain qu'il avait tracées d'elle le premier jour.

Louise n'était pas à proprement parler utile à l'atelier mais, quand elle avait terminé ses corvées, elle trouvait toujours le moyen d'y passer. Parfois, le maître l'invitait à poser pendant qu'il faisait des esquisses d'elle dans son carnet de croquis, mais elle avait le sentiment que c'était plus par politesse que par besoin. Et quand elle se levait pour partir, il grognait en direction de Pieter :

– Raccompagne mademoiselle Eeden chez elle et ne lambine pas sur le chemin du retour !

Si Pieter n'était pas prêt, Louise descendait aider Kathenka à l'auberge ou en cuisine en l'attendant.

Kathenka insistait pour que Louise ait toujours une escorte sur le court chemin du retour. Mais leurs marches n'étaient pas forcément brèves. Ils avaient un accord tacite : Pieter suivait Louise tant qu'ils étaient sur le marché. Une fois qu'ils étaient loin de la foule, ils marchaient côte à côte.

Elle trouvait toujours de bonnes raisons d'arpenter les remparts, ou de se rendre dans le quartier de l'Oosterpoort. Là, ils se tenaient longuement sur le pont, sous le ciel immense, à respirer le grand air et échapper au sentiment d'être prisonniers derrière de hauts murs.

Louise pensait que son attirance irrésistible pour Pieter était un phénomène scientifique, l'accomplissement d'une loi naturelle, comme les petits bateaux en roseaux de son enfance qui se télescopaient dans le tonneau d'eau de pluie. Lorsque, dans ses rêveries, elle se voyait sur un toit chauffé par le soleil, observant les mouvements des astres, c'était Pieter et non son père, Baruch et encore moins Reynier, dont elle imaginait la présence à ses côtés.

Sur le pont, elle parla à Pieter du nouveau télescope. Elle découvrit ainsi qu'il avait des notions d'astronomie.

Au cours d'une de ces discussions, il lui déclara :

– Alors que nous observions les montagnes de la Lune avec le télescope du maître, il m'a raconté comment Galilée avait mis à mal la théorie d'Aristote selon laquelle les corps célestes seraient des sphères parfaites.

Il y eut un silence. Pieter se tourna vers Louise. Elle le regardait d'un air ironique. Il balbutia :

– Il a remarqué leurs ombres sur la surface de la lune…

Louise, les mains sur les hanches, pencha la tête de côté.

– Pieter Kunst ! s'exclama-t-elle. Voulez-vous dire que pendant notre dispute à propos d'Aristote, le maître s'est fait l'avocat du diable ? Êtes-vous en train de me raconter que vous le saviez et que vous nous avez écoutés sans réagir tandis que moi, pauvre innocente, j'étais grossièrement trompée ?

À cet instant, on aurait vraiment pu penser que les ficelles de Pieter avaient été coupées. Louise s'attendait presque à ce qu'il s'effondre en un amas de bras et de jambes. Elle rejeta la tête en arrière et éclata de rire, un rire qui s'écoula le long du Schiekanaal et fit s'envoler un groupe de choucas.

Ensuite, ils parlèrent de tout : d'astronomie encore, mais aussi de peinture, de Spinoza et de ses étranges idées. Louise ignorait ce que pensait Pieter de Dieu. Il lui posait des questions et la remettait dans le droit chemin lorsqu'elle s'emmêlait dans son argumentation, mais quand il s'agissait de ses propres croyances, ses yeux se fermaient à demi, comme s'il avait des visions. Elle avait l'impression qu'il pensait, en quelque sorte, avec son œil d'artiste, mais elle ignorait comment le suivre.

Au cours d'une de leurs promenades, ils passèrent près de la porte du béguinage. Ils y découvrirent le vieux mendiant, qui se souvenait encore de Pieter ainsi que de la cuvée spéciale de Kathenka, et qui les accueillit comme une reine et un roi. Les rues étaient désertes quand ils prirent le chemin du retour. Louise ralentit pour laisser Pieter la rattraper. Ils levèrent tous les deux les yeux sur la tour penchée de l'Ancienne Église. Des nuages blancs et gonflés filaient à travers le ciel, et Louise les contempla jusqu'à ce qu'ils lui paraissent immobiles et que la flèche se renverse sur eux. Elle s'appuya alors sur Pieter en riant, et le laissa la soutenir légèrement pendant qu'elle clignait des yeux pour se débarrasser de l'illusion. Il regardait au loin, peut-être pour capturer la scène.

— Pieter, m'aimez-vous bien ? demanda-t-elle à brûle-pourpoint.

Cela semblait être une question simple, dont la réponse l'aiderait dans sa recherche sur l'attraction entre les hommes et les femmes. Elle fut consternée par la douleur qu'elle lut sur le visage de Pieter. Le bras qui la soutenait se raidit. Quand il prit la parole, sa voix était nouée, d'une dureté inattendue.

— Oui, mademoiselle Louise, je vous aime beaucoup, mais vous oubliez votre rang. Il est temps de rentrer chez vous.

Ce fut Anneke qui lui apporta la lettre le lendemain. Elle tourna autour d'elle tandis que Louise
l'ouvrait.

– C'est monsieur Reynier, déclara-t-elle d'un
air approbateur.

Ma chère Louise,

*Je suis terriblement peiné d'avoir agi comme un
mufle au marché, le jour de mon départ. Il est honteux
de ma part d'avoir espéré un baiser et présumé ainsi
de notre amitié en public. Qui plus est devant Pieter
Kunst, une âme simple, vous en conviendrez, et qui
n'est pas des nôtres. Je vous prie de me pardonner et je
suis sûr que vous comprenez.*

Louise sentit la colère monter en elle.

*Je suis conscient de vous avoir blessée, d'autant qu'a
enflé en même temps cette rumeur déplacée sur nos
fiançailles. Quels que soient mes désirs, j'ai des devoirs.
Ces rumeurs vous ont placée dans une situation déli-
cate et je ne peux revenir à Delft sans vous déclarer
ma flamme. J'ai eu la chance de pouvoir embarquer
sur un bateau en route pour l'Italie, même si la desti-
nation m'importait peu. Nous sommes arrivés au Havre aujourd'hui, un port français. De cette manière, je
m'éloigne de vous et de la tentation.*

*Peut-être le grand Parthénon à Rome me changera-
t-il les idées et me permettra-t-il de patienter jusqu'à
mon retour à l'automne…*

Louise cilla. Cette éloquence soudaine était étonnante chez Reynier. Et le Parthénon était à Athènes et non à Rome. Elle sourit, leva les yeux et surprit l'expression satisfaite d'Anneke. Quand elle eut fini de lire la lettre, elle s'appuya sur le dossier de sa chaise et ferma les paupières. Elle avait le sentiment d'avoir gagné un sursis. L'Italie semblait merveilleusement loin. Elle se détendit pendant qu'une méchante idée lui traversait l'esprit.

— Anneke, lança-t-elle innocemment, Reynier de Vries se dirige vers la Méditerranée, où les pirates sont légion. T'imagines-tu Reynier en galérien?

Le visage ridé de la nourrice frémit et elle déclara :

— Oh! Mademoiselle Louise! Nous devons nous en remettre à Dieu pour qu'il nous revienne sain et sauf. Au moins, il sera chez les chrétiens en Italie, même s'ils sont catholiques!

Louise n'éprouva pas le moindre remords à avoir taquiné Anneke; après tout elle n'avait aucune raison de rester là à la surveiller pendant qu'elle lisait la lettre de Reynier.

Depuis leur dispute, elles étaient parvenues à un accord tacite. Tant que Louise exécutait ses corvées domestiques et passait du temps au chevet de sa mère, Anneke approuvait ses visites chez le maître, « un gentilhomme si courtois ». Pieter, lui, était commodément ignoré, ce n'était qu'un simple serviteur.

Il était l'heure de partir à présent. Louise rangeait ses travaux de couture dans son panier quand une pensée soudaine la frappa. Comment Anneke savait-elle que Reynier allait en Italie ? Elle avait mentionné la Méditerranée, mais pas l'Italie. Perplexe, Louise regarda la vieille femme occupée à faire l'ourlet d'une jupe.

Il n'y eut pas de réponse quand elle toqua à la porte de l'atelier. Elle poussa le battant et entra sur la pointe des pieds. Ils étaient là tous les deux devant la toile. Ils l'avaient ôtée du chevalet et posée sur un pied incliné où elle recevait la lumière de la fenêtre du nord. Louise sentait l'intensité de leur travail. Elle s'arrêta, captivée. Le moindre geste du maître semblait contrôlé et précis. Elle songea aux esquisses hâtives et désordonnées qu'il avait réalisées le premier jour.

De sa main gauche, il tenait non seulement sa palette mais aussi un long bâton terminé par un coussinet. Pieter avait appelé cet objet un appuie-main, mais elle n'avait pas compris à quoi il servait jusqu'à aujourd'hui. Le maître trempait d'abord son pinceau, à peine plus de quelques poils dans la couleur. Puis, d'un geste lent, il se penchait en avant, et l'appuie-main venait reposer sur le bord de la toile. Il y appuyait son poignet et appliquait une minuscule touche de peinture avant de reculer.

Louise contempla ce mouvement de métro-nome sans bouger, jusqu'à ce que le maître se redresse.

– Ja, Pieter, annonça-t-il triomphalement. C'est la bonne couleur cette fois-ci. Qu'en pensez-vous mademoiselle Louise ? Ne viendrez-vous donc pas embrasser la joue du vieil homme pour le remercier ?

Il pencha la tête sur le côté. Louise ne répondit pas à son invitation, mais battit des mains.

– Je suis trop vieux, soupira-t-il. Essaie, toi, Pieter.

Le travail reprit. Ni l'un ni l'autre ne lui prêtè-rent plus la moindre attention. Seuls quelques rares échanges à voix basse brisaient le silence. Cette calme activité enveloppa Louise comme un cocon douillet. Elle se mit à songer à ses privilèges : sa maison, sa fortune, la robe de soie verte qu'elle avait à peine portée, et elle se demanda ce qu'elle avait fait pour mériter tout cela. Elle réalisa l'ironie de sa demande d'être peinte comme le mendiant de la porte du béguinage alors qu'une partie de la fortune dont elle hériterait un jour pourrait loger et nourrir tous les mendiants de Delft. Elle pensa à son père qui, comme le maître et son apprenti, serait libre d'exercer son art, si les faïenceries s'unissaient. Et puis il y avait Reynier, qui navi-guait sur des mers dangereuses dans le seul but de lui permettre de prendre une décision à propos de leur mariage. N'était-ce pas un caprice de sa part ? Ne devait-elle pas se sentir en faute ?

Si seulement elle était Anneke! Anneke savait toujours ce qui était bien et ce qui était mal; Dieu le lui disait. Les mots d'un récent sermon lui revinrent à l'esprit : « Mes frères, nous voici à un moment où nous devons tous nous abandonner à la foi. Mes frères, mes sœurs, abandonnons-nous à Dieu! »

Elle épouserait donc Reynier quand il reviendrait, en automne.

Jour après jour, Louise voyait son visage émerger de la toile. C'était comme si elle essuyait un rond de plus en plus grand sur la fenêtre givrée du tableau pour regarder au-dehors. Son œil droit apparut d'abord, brillant et curieux. Puis l'autre, puis un sourcil. Le maître chantonnait en travaillant tandis que Pieter l'assistait. Lorsqu'elle ne posait pas, le maître la laissait regarder.

Petit à petit, la chaleur de l'été devint oppressante et l'atmosphère de l'atelier étouffante. Louise posait pendant de longues heures, mais elle remarqua que, même s'il changeait souvent de position, prenant et rangeant ses pinceaux, le maître ne peignait pas. Parfois, dans un accès soudain de détermination, il mettait de la couleur sur son pinceau, se penchait en avant, le pinceau flottant au-dessus de la toile, avant que sa main ne retombe et il se rasseyait en gémissant.

Le portrait n'avançait plus guère. Son visage était certes visible, et il n'y avait aucun doute sur sa ressemblance ; c'était bien celui qu'elle contemplait chaque jour dans son miroir. Et pourtant il était sans vie, ressemblant mais sans vie.

L'atmosphère de l'atelier devenait franchement hostile. Quand elle frappait à la porte, le maître répondait par un grognement, Pieter, lui, gardait ses distances.

Du coup, Louise s'interrogeait. Qu'est-ce qui n'allait pas ? Lorsqu'elle jetait un coup d'œil sur le carnet de croquis ouvert, posé à côté de la toile, les esquisses se bousculaient telles des vagues vibrantes se précipitant sur le rivage, toutefois le visage qui la dévisageait depuis la toile était aussi dépourvu de vie qu'une mer de plomb. Pourquoi ? Elle aurait voulu questionner Pieter, mais il avait tendance à disparaître dans les recoins de l'atelier, où elle l'entendait parfois casser des objets.

Un matin chaud et étouffant, l'orage éclata.

– Vous êtes en retard !

Louise était décontenancée. Le maître ne lui avait pas demandé d'être là à une heure précise. En fait, elle était volontairement arrivée plus tard que d'habitude, lassée des sautes d'humeur des deux hommes.

La toile était sur le chevalet et le maître faisait les cent pas, sa blouse tournoyant à chaque demi-tour brutal. Il désigna la chaise.

– Assise, assise ! commanda-t-il, comme s'il parlait à un chien.

Louise décida d'obéir. Il ne plaisantait pas, son visage était blême de colère rentrée.

– Pieter… s'écria-t-il. Appuie-main !

Il l'arracha des mains de Pieter qui pâlit sans desserrer les lèvres.

– Savez-vous ce que prétend cet imbécile d'apprenti ? lança le maître, en faisant une cruelle imitation des bras ballants de Pieter. Il prétend que vous êtes morte. Avez-vous l'air morte ? Pff ! J'en ai fini avec ce garçon. Je m'en vais déchirer en mille morceaux son contrat d'apprentissage.

Il se tourna vers Pieter.

– J'en ai le droit figure-toi ! Mais, continua-t-il d'un ton sarcastique, comme tu sembles connaître notre art mieux que tes maîtres, je tiens d'abord à connaître ton opinion. Pourrais-tu, Pieter Kunst, m'honorer de ton avis inspiré sur la couleur de l'ombre qui, selon toi, ramènerait mademoiselle Eeden à la vie ?

Il sifflait comme un serpent et Louise jeta un regard inquiet aux deux hommes.

– Certains utiliseraient du marron, maître, répondit-il en soutenant son regard.

Louise se demanda ce qu'elle ferait si le vieil homme le frappait. Elle se souvint que cela s'était déjà produit par le passé.

– Du marron ! répéta le maître, avec un mépris palpable. Et qui dit que je dois imiter les autres ?

– Loin de moi cette idée, maître. Mais je ne vous donnerai pas mon avis car vous refuseriez de le suivre par pure obstination.

– Écoutez-le! hurla le maître en se tournant vers Louise pour obtenir son soutien.

Or Louise ne voulait pas prendre parti. On ne sépare pas deux chiens qui se battent. Elle les abandonna à leur querelle. Elle avait un seul rôle à jouer ici, et disposait d'une seule arme. Elle songea au premier jour dans l'atelier, quand le maître l'avait provoquée avec ses absurdités sur l'astronomie. Elle l'avait raillé et avait cru l'emporter sur lui. Un sourire affleura à ses lèvres et soudain elle sentit qu'elle reprenait instinctivement la pose. Le gémissement moqueur du vieil homme fut coupé net par l'exclamation de Pieter :

– Regardez, maître! Regardez Louise!

Un lourd silence s'abattit sur l'atelier. Le maître se tourna vers elle. Louise avait l'impression que leurs deux paires d'yeux lui brûlaient le visage. Elle avait agi ainsi pour Pieter et cependant elle n'osait pas le regarder.

Elle fixa une tache de peinture rouge au dos du chevalet. Pieter et le maître étaient des images floues, flottant en lisière de son champ de vision. Elle sentit plus qu'elle ne vit le maître prendre sa palette des mains de Pieter. Leurs mouvements lui semblaient ralentis par l'énergie pure qui émanait d'elle.

Le maître chuchota :

– Du bleu, Pieter, va chercher du bleu. Confectionne-le avec le lapis que tu as gâché le jour de son arrivée.

Elle aurait voulu rire, ou peut-être pleurer quand elle entendit Pieter répondre :

– Il est là, maître, je l'ai déjà préparé.

– Il nous faudra partir de la couleur naturelle de sa peau et l'assombrir un peu avec du bleu. Savais-tu, Pieter, que le bleu du ciel teinte les ombres ? Bon, où est ce maudit outremer ?

– Ici, il est prêt.

Ils avaient cessé de se disputer comme des enfants. Louise sentait son énergie se déverser vers eux et leur insuffler un désir nouveau. D'une voix tranquille, le maître demanda de l'huile.

– Pas ce pinceau, Pieter... un plus large. Je suis à nouveau le maître. Tu te souviens quand le mendiant de la porte du béguinage s'est mis à chanter sa chanson ? Dans cent ans, lui comme Louise vivront encore dans le regard des gens... Mon Dieu, laissez-moi assez de temps, juste assez de temps pour finir.

Il était courbé sur la toile et Louise pouvait presque sentir ses coups de pinceau sur son visage. Bientôt il chuchota :

– Vois, Pieter, elle vit. Elle vit, Pieter !

Pieter regarda par-dessus l'épaule du vieil homme et fut émerveillé, même si un frisson désagréable le parcourait intérieurement.

Louise se leva, encore engourdie par la pose, et scruta la toile. Elle n'aima pas ce qu'elle y découvrit. Elle savait qu'elle n'était pas jolie, pourtant elle ne s'attendait pas à trouver son visage si dérangeant. Elle y décelait un écho inattendu des traits de sa mère. Pas de sa mère malade, mais de celle qui défiait les vents quand elles se promenaient ensemble. Et avait-elle vraiment l'air si raisonneuse ? « Tu es une enfant difficile », se plaignait souvent Anneke. Louise sourit.

Le maître, assis et harassé, tapota sa main.

– Je vois que la jeune fille sur la toile vous arrache un sourire.

Pour la première fois, Louise voyait le tableau non pas comme un reflet d'elle-même, mais tel qu'un étranger le découvrirait, et elle en resta perplexe.

Le jour suivant, quand Louise frappa à la porte de l'atelier, elle faillit buter contre une armure médiévale placée au centre de la pièce. Pieter était occupé à la polir. Elle ressentit une pointe de jalousie. Elle réalisait que dorénavant, satisfait de son portrait, le maître allait en commencer un autre. Elle se demandait où il était lorsque l'armure s'anima et avança vers elle dans un cliquetis métallique.

Une voix sépulcrale s'éleva :

– Écuyer, mon cheval ! Car il nous faut
Délivrer cette demoiselle de l'argile,
Et laisser la belle étoile du soir
Régler le cours de sa vie.

Louise tomba dans ses bras avec un bruit de casserole qui n'était pas digne d'une embrassade chevaleresque.

Il leur fallut un temps considérable, à Pieter et à elle, pour extirper de son armure, entre deux fous rires, le maître rose et triomphant.

Et il se passa un long moment avant qu'elle se rappelle le poème courtois qu'il avait récité.

Carel Fabritius

Quand le maître ne retouchait pas la robe de Louise, Pieter peignait le carrelage ou le décor autour.

Pendant quelques jours, Louise posa de longues heures, les cheveux savamment coiffés par Kathenka, sa robe soigneusement arrangée autour d'elle. Puis le maître se plaignit que les plis variaient trop d'une séance à l'autre. Après avoir farfouillé au fond de l'atelier, il revint en esquissant un pas de danse, un mannequin en osier dans les bras. Kathenka le vêtit de la robe de soie verte et l'installa dans la bonne pose.

À présent, Louise cohabitait avec son effigie sans tête, pendant que le maître déposait couche après couche la base bleue sur laquelle serait ajouté le jaune.

– Regardez, mademoiselle Louise ! s'exclamait-il parfois. Cette étoffe vit, avec ces milliers de taches de lumière qui se forment dans chaque pli. L'œil doit les voir briller comme des émeraudes vivantes, la plus précieuse de toutes les pierres.

Quand elle ne posait pas, Louise se rendait utile ; elle s'était surnommée « l'apprentie de l'apprenti ». Elle pilait et mélangeait les couleurs, nettoyait les pinceaux et les palettes.

Pour le déjeuner, Kathenka montait un plateau, et ils pique-niquaient tous ensemble dans l'atelier. Elle confectionnait des sirops de fleurs de sureau et de fruits de saison. Cela changeait de la petite bière qu'ils buvaient pendant l'hiver. Il y avait toujours un saladier de fruits frais ainsi qu'une bassine d'eau pour se laver les mains, car beaucoup de peintures et de poudres contenaient des poisons mortels : plomb, arsenic ou mercure.

Après le repas, le maître se retirait pour la sieste. Pieter, lui, continuait à travailler et Louise le regardait ou elle explorait le fond de l'atelier, une véritable caverne d'Ali Baba, remplie des curiosités que Jacob Haitink avait accumulées au fil des années. Il y avait des défenses d'éléphants, d'énormes coquillages des mers tropicales, des livres et des gravures, et d'étranges créatures flottant mollement dans des bocaux. Sans oublier les épées accrochées à des clous et l'armure médiévale dont le heaume pendait, l'air abattu.

– Où trouve-t-il tous ces objets, et à quoi lui servent-ils ? demanda-t-elle à Pieter.

– Je l'ignore, répondit-il. Il dit que ce sont des accessoires pour ses tableaux, comme le globe pour le vôtre, mais je crois qu'en réalité il ne sait pas résister aux objets nouveaux ou étranges. Il passe la moitié de son temps à farfouiller là-dedans au lieu de peindre.

Un jour que Louise arrivait à l'atelier en apportant le plateau de victuailles préparé par Kathenka, elle remarqua que Pieter se souriait à lui-même. Lorsque le maître et Kathenka furent partis, elle l'interrogea.

– Le maître m'a donné le tapis de Turquie ! lui expliqua-t-il.

– Vraiment ? Et qu'en ferez-vous ?

– Mais je vais le peindre, mademoiselle Louise ! Regardez ces détails, ces combinaisons de couleurs, ce bleu, ce rouge, ce vert ! Elles ne devraient pas être assorties et pourtant… Ce rouge est un défi à lui seul. Il vibre. Le maître assure qu'il faudrait du vermillon, seulement nous n'en possédons pas. Il dit que maître Fabritius a une recette et que je devrais la lui demander, mais je ne suis pas sûr qu'il acceptera de me la donner, je ne suis qu'un simple apprenti.

– J'irai la lui demander, répliqua Louise, confiante. Anneke ne l'apprécie guère, toutefois il a toujours été courtois avec moi.

– Pourquoi votre nourrice ne l'apprécie-t-elle pas ?

– Parce qu'il a des poils sur la poitrine, déclara Louise comme si c'était une évidence.

– Il a quoi ?! s'exclama Pieter.

– Des poils… sur la poitrine.

– Mais comment la respectable Anneke est-elle au courant de ce détail choquant ?

Soudain, Louise sourit. Ainsi la sage Anneke avait un secret inavouable ! Pieter la dévisageait avec une expression d'horreur amusée. Elle se retint d'éclater de rire.

– Mon père a emprunté l'autoportrait que maître Fabritius a peint lorsqu'il s'est mis en tête de faire réaliser mon portrait. Il s'est représenté avec sa chemise ouverte, Anneke en a été scandalisée. « Ou bien ce tableau disparaît de ma vue ou c'est moi qui pars », a-t-elle déclaré.

L'espace d'un instant, Louise crut que Pieter était scandalisé lui aussi. Après un hoquet, il renversa la tête en arrière… et rit jusqu'à en avoir les larmes aux yeux. C'était le rire le plus contagieux que Louise ait jamais entendu et elle rit de bon cœur avec lui.

Ils riaient encore lorsqu'ils atteignirent la demeure de maître Fabritius. Pieter frappa puis recula, laissant à Louise le soin de faire les présentations. L'artiste en personne leur ouvrit.

– Mademoiselle Eeden, à quoi dois-je le plaisir de vous voir ? demanda-t-il en reconnaissant sa voisine.

– Bonjour maître, dit Louise, je vous présente Pieter Kunst, l'apprenti de maître Haitink. Il…

– Oh, je connais monsieur Kunst, dit l'homme en souriant. Ravi de vous rencontrer, Pieter, j'ai entendu dire le plus grand bien de vous, et j'ai vu votre travail… Quel dommage que maître Haitink se refuse à admettre votre talent.

Il émit un petit gloussement. Louise recula et, pendant que Pieter expliquait de quoi il avait besoin, elle en profita pour examiner le célèbre artiste. Jusqu'à présent, elle ne l'avait vu qu'à l'occasion de manifestations officielles. Ce jour-là il portait une blouse de peintre, semblable à celle du maître, qui lui donnait un air majestueux. Ses cheveux longs jusqu'aux épaules étaient décoiffés, et sa chemise ouverte.

Elle garda le regard fixé sur son visage. Il avait une bouche bien dessinée, une mâchoire puissante, et des rides expressives creusaient son front. Il dut s'apercevoir qu'elle l'observait et planta ses yeux dans les siens ; elle se sentit sous le feu de la rapide évaluation de l'artiste tandis qu'il discutait avec Pieter. Soudain, elle se rendit compte que maître Fabritius s'adressait à elle.

– Je vous prie de m'excuser, j'étais en train de travailler. Entrez, je vais donner à monsieur Kunst la recette dont il a besoin.

Il les précéda jusqu'à son atelier à l'arrière de la maison. Louise fit discrètement du regard le tour de la pièce. Sur un chevalet, une peinture représentait un chardonneret. Louise fut transportée ; le petit oiseau aux couleurs sombres qui se détachait sur un fond lumineux semblait vivant. Elle l'observa longuement pendant que Pieter et le peintre parlaient de mercure et de soufre.

Une porte s'ouvrait sur une petite cour pavée de briques. La lumière l'inondait, accompagnée par les doux trilles et les gazouillis d'un oiseau célébrant le soir. Louise pénétra prudemment dans la cour, et la chanson s'arrêta au beau milieu d'une note. Elle observa les alentours mais ne vit rien. Puis un vif gazouillis attira son regard : un petit oiseau, la tête penchée sur le côté, la défiait du haut du mur blanchi à la chaux.

C'était le chardonneret, le sujet du tableau sur le chevalet, attaché par une fine chaîne. Sa tête était écarlate, et une bande dorée brillait au bas de chacune de ses ailes. Elle avait déjà vu des chardonnerets traverser son jardin, volant comme le duvet de chardon dont ils se nourrissaient, mais jamais elle n'avait pu en observer un de si près.

Louise sentit une main se poser sur son épaule. Un peu troublée, elle se retourna pour faire face à maître Fabritius.

– J'aime beaucoup votre tableau, assura-t-elle.

– Je vous l'aurais bien offert, hélas il est déjà vendu. Le capitaine de la garde l'a acheté.

L'artiste s'inclina galamment, et suivit Louise à l'intérieur.

Pieter venait de terminer de transcrire la recette.

– Je devrais d'abord fondre le soufre et le mercure ensemble, n'est-ce pas ? demanda-t-il.

– Oui.

– On dirait de l'alchimie, déclara Louise. J'espère que je pourrai voir ça !

Le maître rit. Il continua à discuter avec Pieter tout en la regardant.

– Je commence à croire, Pieter, que vous avez peut-être trouvé la pierre philosophale. Mais vous est-elle destinée ?

En guise de réponse, Pieter heurta une chaise qui tomba, ce qui sembla amuser le peintre. Louise était perdue dans ses pensées. Parlait-il d'elle ? À qui était-elle destinée ? Elle n'avait pas pensé à Reynier depuis des semaines. Bientôt, ce serait l'automne, et plus il se rapprochait moins elle se sentait prête au sacrifice.

La porte se referma, et ils restèrent un moment silencieux, absorbés par leurs pensées. Les doux trilles du chardonneret leur parvinrent depuis son perchoir dans la cour.

– Écoutez, Pieter ! dit Louise en prenant son bras et en s'y accrochant fermement. L'oiseau chante à nouveau !

Louise recula légèrement pour observer les deux hommes. Leurs silhouettes se découpaient dans la douce luminosité de la nuit étoilée. Son père, la barbe aussi affûtée qu'un cimeterre, observait Pieter qui regardait dans le télescope.

– Saturne ! l'entendit-elle dire, impressionné.

– Voyez comme elle semble avoir des bras de chaque côté, reprit son père.

– Oui, oui, je les vois.

Il tourna la tête et son nez heurta le télescope, déréglant sa ligne de visée.

– Louise, euh pardon, mademoiselle Eeden, vous souvenez-vous de mon verre vide ? De la façon dont je l'avais dessiné avec un halo ? Ces bras de Saturne ressemblent à mon halo qui couronnerait la tête de la planète… Excusez-moi, monsieur, je crois que j'ai perdu Saturne.

– Ne vous inquiétez pas, je la retrouverai.

Son père se pencha à son tour et fixa le ciel en murmurant :

– Où es-tu à présent, vieille dame… Ah, je te tiens !

Il y eut un silence, puis il émit un petit rire.

– Vous pourriez avoir raison, mon garçon, vous pourriez avoir raison. Nous écrirons un article ensemble que nous intitulerons *Nouvelle preuve d'un halo qui a glissé sur la tête de Saturne.* Cela risquerait de provoquer des débats, non ? *La preuve d'une sainteté préchrétienne.* En y réfléchissant, nous ferions mieux de ne pas mentionner ce halo, sinon nous risquons de finir brûlés sur le bûcher !

Il se gratta la tête.

– Pourquoi devons-nous toujours finir par nous battre à cause de la religion ? Les catholiques contre les protestants, les protestants contre les libres-penseurs. Que sont les religions sinon des histoires de la création ? J'apprécie les belles histoires, mais c'est dans le ciel, Pieter, là où nous regardons à présent, que réside la vérité.

Louise s'assit par terre, ses jupes repliées sur ses genoux, et regarda tour à tour les profils contrastés de son père qui dissertait et de Pieter qui écoutait. Le télescope, oublié pour le moment, pointait vers le ciel. Ils étaient absorbés par leur réflexion et elle était l'observateur, le troisième point du triangle qu'ils formaient.

Son père racontait à Pieter sa visite à Baruch Spinoza, le polisseur de lentilles, et sa philosophie étrange et belle. Pourquoi désirer le paradis, songea-t-elle, quand l'univers était là que l'on pouvait contempler et découvrir ? Qui avait donc parlé de la musique des orbes célestes ? Ce pauvre vieil Aristote, certainement. Ce soir-là, les étoiles chantaient pour elle. Elle aurait voulu préserver ce moment pour toujours. Le garde de nuit passa dans la rue en criant que tout allait bien, et Pieter sursauta.

– Je vous prie de m'excuser, monsieur. J'ai promis à madame Kathenka d'être là ce soir. Je lui sers de garde de nuit ; elle ne dormira pas tant que je ne serai pas rentré.

– Je comprends, mais vous devez revenir. Louise m'a parlé de certaines de vos idées sur l'œil de l'artiste, c'est fascinant. J'aimerais en entendre davantage. Et puis nous observerons les lunes de Jupiter.

Le père de Louise ouvrit la porte qui donnait sur le palier où brillait une veilleuse.

– Pieter, soyez le plus silencieux possible, car ma femme est souffrante.

Pieter descendit les escaliers sur la pointe des pieds. M. Eeden se tourna vers Louise et lui tendit les mains, ses yeux scrutant son visage. Elle ne tenta pas de cacher le plaisir que lui avait procuré la soirée.

– Louise, es-tu sûre ?

Pouvait-il vraiment lire dans ses pensées ? Savoir ce qu'elle ressentait ? Ses yeux brillaient d'un éclat sombre.

– Au sujet de Reynier ?

Il l'interrogeait enfin, il fallait qu'elle réponde. À ce moment, un cri s'éleva.

– Comment osez-vous ? Appelez la garde ! Je savais bien que vous étiez là-haut. Vipère ! Serpent ! Antéchrist !

Ces mots étaient ponctués de bruits de coups. M. Eeden se précipita dans l'escalier.

– Anneke ! s'exclama-t-il.

Pieter protestait faiblement sur le palier du dessous. Mais Anneke, dans une colère folle, invoquait Sodome et Gomorrhe. En tenue de nuit, elle gardait les deux hommes à distance, faisant tournoyer devant elle une canne tandis qu'ils essayaient de se protéger de ses coups. Louise avança prudemment. À ce moment, la porte de la chambre de sa mère s'ouvrit et elle apparut sur le palier, fantôme gracieux de la belle femme qu'elle était autrefois. Ses cheveux, emmêlés par son sommeil agité, rappelèrent à Louise leur dernière promenade ensemble.

– Mère ! murmura-t-elle.

– Anneke ! Cela suffit ! ordonna Mme Eeden.

La nourrice la regarda, stupéfaite, et sa canne retomba doucement vers le sol. Mme Eeden se retourna dignement et regagna sa chambre.

Dans le silence abasourdi qui suivit, Louise entraîna Anneke vers sa chambre alors que les deux hommes descendaient avec des mines d'écoliers réprimandés.

– Scélérate, catin ! accusa encore Anneke.

Doucement mais fermement, envahie par un sentiment de tristesse, Louise aida sa vieille nourrice à regagner son lit. Elle était certaine qu'Anneke ne l'aurait jamais laissée seule dans sa chambre avec Pieter et donc qu'elle savait que son père était présent, veillant sur elle. Alors pourquoi cette réaction subite ? Quels intérêts Anneke protégeait-elle ? À moins qu'elle ne soit la main de Dieu intervenant au moindre signe de faiblesse de sa protégée ? Et Louise était bel et bien en train de faiblir. Une minute de plus, et elle aurait sacrifié aux siens les désirs de son père. Si sa mère mourait, il ne resterait à son père que son travail. Il fallait que les faïenceries s'unissent. Sa mère devait avoir la certitude que ses espoirs s'accompliraient. Louise avait pris une décision et elle s'y tiendrait.

Elle grimpa péniblement jusqu'à sa chambre et se coucha, l'esprit agité.

Louise se réveilla, un cri sur les lèvres.

Elle était allée en enfer, guidée par Anneke.

Un démon à l'œil mauvais la regardait. Il était moitié humain moitié scarabée, et portait un seau rempli de corps nus.

– Des pécheurs, murmura Anneke à son oreille.

Parfois, le démon se saisissait d'un corps et le jetait dans la fournaise. Les pécheurs tentaient de s'échapper, glissant et grimpant les uns sur les autres comme des grenouilles prises au piège. Louise vit du coin de l'œil une femme qui glissait hors du seau et s'enfuyait. C'était une tentative inutile. Un gentilhomme à tête de renard, que Louise n'avait pas encore remarqué, l'embrocha d'un coup sec.

– Je veux partir ! s'écria Louise.

Anneke semblait surprise.

– Regarde, ce démon a un cadeau pour toi.

Louise se retourna.

C'était le scarabée. Il souleva son seau empli de pécheurs et lança la masse grouillante au visage de Louise.

Son cri et son rêve s'évanouirent tandis qu'elle se redressait sur son lit, terrorisée. Elle essuya son visage avec son drap. C'était un cauchemar qu'elle avait déjà fait.

Des années auparavant, lorsqu'elle s'était rendue à La Haye où sa mère et son père devaient rencontrer un avocat, Anneke l'avait emmenée à l'église.

Il s'agissait par le passé d'une église catholique. Après avoir grommelé, le gardien avait accepté de les laisser entrer dans une pièce où des statues, des sculptures et des peintures qui avaient été ôtées des murs étaient entreposées.

– Voilà la véritable nature des catholiques, avait murmuré Anneke en désignant un grand tableau.

Par la suite, Louise avait interrogé son père à propos de ce tableau représentant des diables, des scarabées, des pécheurs nus, et des gentilshommes à tête de renard, il avait semblé très en colère et lui avait demandé où elle l'avait vu. Puis il lui avait dit qu'il s'agissait d'une œuvre d'art majeure de Hieronymus Bosch avant d'aller parler à Anneke.

Louise avait décidé d'appeler le peintre Horribilis Bosch, et de ne jamais se mêler aux catholiques.

Assise toute tremblante sur son lit, elle était trop engourdie et fatiguée pour se demander ce qui avait provoqué le cauchemar. Était-ce quelque chose qu'Anneke avait dit ? Elle regarda vers la fenêtre où le télescope était toujours dirigé vers le ciel et Saturne. Tout était si harmonieux quelques heures auparavant. Elle s'allongea et se rendormit rapidement en pleurant sur l'instant perdu.

Trois jours plus tard, Louise remarqua une lettre sur la table de l'entrée, adressée à son père par l'agent qui travaillait au Havre pour Cornelius de Vries. Elle supposa qu'elle concernait les négociations en cours avec le père de Reynier.

Son père ne lui avait pas posé davantage de questions sur Reynier ; peut-être avait-il le sentiment d'en avoir assez dit. Il avait élevé Louise de sorte qu'elle pense par elle-même et parle en son propre nom. Mais au petit déjeuner, il avait mentionné, sans insister, que le bateau de Reynier ne reviendrait pas avant la fin du mois d'octobre, car il serait retenu au Havre pour un chargement. « Cornelius dit que Reynier a effectué un travail formidable », avait-il ajouté.

Un travail ? avait songé Louise, étonnée. Mais il ne travaillait pas, il naviguait sur la Méditerranée. Elle n'avait pu s'empêcher de faire un rapide calcul. Il lui restait six semaines avant que Reynier regagne Delft. Il pouvait se passer beaucoup de choses en six semaines…

Le rouge et le blanc

À la surprise de Louise, Anneke ne sembla plus s'inquiéter de son sort après son éclat dans les escaliers. Peut-être sa mère lui avait-elle parlé. Mais à chaque fois que Louise se trouvait en sa présence, Anneke reniflait d'un air dédaigneux et, quand son père et elle étaient ensemble, le regard dédaigneux les incluait tous les deux.

Un jour qu'elle portait un message à la faïencerie, Louise fut surprise d'apercevoir Anneke longeant le mur des ateliers de Vries, le visage dissimulé par son bonnet et s'appuyant sur sa canne. En une seconde, elle avait disparu. Pourquoi agissait-elle de manière si furtive ?

Les arbres qui surplombaient les canaux se paraient d'or, et leur sommet dansait dans les premiers vents d'automne balayant la campagne.

Kathenka débarrassa Louise de sa cape et referma la porte en luttant contre une rafale. Une odeur de brûlé régnait dans l'atelier quand Louise y entra, mais son attention fut attirée par son portrait. Il était presque terminé à présent. Le maître avait commencé à appliquer son jaune secret. Le bleu éclatant de la sous-couche du lapis-lazuli de sa robe se transformait en un vert brillant, translucide. Elle observa la façon dont il posait la couleur délicatement, couche après couche. Elle regrettait la disparition du bleu pur et précieux, mais peu à peu elle voyait se détacher tous les plis subtils de la soie verte.

– J'ai l'impression de pouvoir la toucher, murmura-t-elle. Je n'avais jamais touché du regard auparavant!

Le maître scruta son visage de ses yeux rougis par le travail. Puis il prit sa main et l'embrassa.

– Un jour, dans trois cents ans ou peut-être plus, des gens regarderont cette toile, et vous et moi, Louise, nous vivrons de nouveau à travers leurs yeux. Et si, par malchance, le tableau se perd et que nous tombons tous les deux dans l'oubli, qu'importe! Nous sommes bien vivants en cet instant, et nous avons accompli une grande œuvre ensemble.

Il se redressa avec difficulté.

– La lumière n'est pas bonne aujourd'hui, le froid mord mes vieux os; la liqueur de Kathenka m'appelle. Mais avant de descendre, observez ce tapis. C'est Pieter qui l'a peint. Un travail magnifique, si fin. Un jour, il faudra que je lui dise à quel point il est talentueux, mais pas aujourd'hui. Il me faut préserver sa modestie. Et puis il veut le secret de mon jaune !

Il émit un petit rire tandis que Louise déposait un baiser sur sa joue avant de l'aider à se relever. Il lui adressa un clin d'œil puis il lança la tête en arrière en vociférant :

– Je ne sais pas ce que tu fabriques, Pieter. Tu as oublié de commander le lapis-lazuli dont nous avons besoin pour finir la robe de Louise, tu n'as pas trait la vache blanche depuis une semaine et tous tes saints ne fabriqueront pas le rouge vermillon à ta place si tu ne te mets pas au travail immédiatement. Voilà de quoi le rendre vigilant, ajouta le maître en adressant un clin d'œil à Louise.

Tandis qu'elle l'aidait à ôter sa blouse, la réponse de Pieter leur parvint de l'autre bout de l'atelier.

– Je suis sur le point de préparer le rouge vermillon, si mademoiselle Louise veut regarder.

Elle traversa l'atelier, passa devant l'armure abandonnée et atteignit l'endroit où était installé le fourneau. Là, tout était impeccable et ordonné. Il y avait une table et les dalles du sol étaient balayées. Pieter lui tournait le dos et, assis sur un banc, surveillait un feu de charbon de bois.

Louise sentait la chaleur qui s'en dégageait. L'entendant arriver, il dit par-dessus son épaule :

– Je vais d'abord faire chauffer le sulfure de mercure. Ne vous approchez pas, cela pourrait être dangereux.

– Je me suis demandé ce qui brûlait en entrant, dit Louise.

– Ne parlez pas de feu ! C'est pour cela que je suis ici, loin de nos tableaux. Presque tous les composants de la peinture sont inflammables.

Il souffla sur la cendre, révélant les braises incandescentes au-dessous. Louise songea aux descriptions que son père lui avait faites des laboratoires des alchimistes.

– Fabritius m'a dit de faire fondre ensemble le soufre et le mercure, lui expliqua Pieter, puis de les réduire en poudre et de faire chauffer le mélange.

– Si nous étions des alchimistes, suggéra Louise gentiment, nous ajouterions du plomb à la mixture et nous fabriquerions de l'or. Voulez-vous que je récite une incantation ?

Pieter sourit mais il était préoccupé.

– Je n'ai jamais fabriqué de vermillon, et c'est bien assez toxique sans qu'on y ajoute du plomb.

Il mit un couvercle sur le récipient.

– Reculez pour ne pas respirer les vapeurs.

Il secouait doucement une cornue au-dessus du lit de charbon pour que le verre n'explose pas sous la chaleur excessive.

De la vapeur et de la fumée tournoyaient à l'intérieur et un filet de rouge apparut.

– Regardez! chuchota-t-elle.

– Maintenant, je dois mélanger.

Pieter abaissa le récipient sur les braises. Les filets de rouge se combinaient et se déposaient sur le verre. Il inséra une tige dans le bec de la cornue et remua.

– On dirait les flammes de l'enfer, dit Louise.

– Ne tentez pas le diable, mademoiselle Eeden, souffla Pieter.

Soudain il y eut un bruit sec et le récipient se brisa. Un nuage de vapeur rouge, lourd de mercure, les entoura. Louise fixait Pieter, incapable de bouger. Soudain elle se sentit soulevée et emportée plus loin. Le vermillon se répandit sur le sol dallé, formant une tache rouge. Les bras de Pieter l'enserraient, l'étouffant presque. Mais cela ne la dérangeait pas.

– Avez-vous respiré le mercure? s'inquiéta-t-il.

– Non, tout va bien. Et si c'était le cas, je l'aurais expiré tant vous me serrez, ajouta-t-elle en riant.

Il la lâcha précipitamment.

– Pouvons-nous récupérer le rouge? demanda-t-elle, alors qu'il secouait la tête devant les éclats de verre brisé.

Elle se baissa et désigna les dalles.

– Regardez, c'est de la poudre. Nous pouvons la ramasser.

En utilisant de vieux pinceaux, ils balayèrent la poudre pour qu'elle forme un tas puis, à l'aide de morceaux de parchemin, ils la transvasèrent dans un petit pot. Pieter lui assura que cela suffirait pour peindre plusieurs tapis.

Ils retournèrent à l'autre bout de l'atelier, qu'ils trouvèrent vide.

– Où est le maître ? demanda Pieter.

– Il a dit que la lumière n'était pas bonne aujourd'hui, lui rappela Louise.

– Quel fieffé menteur ! Le soleil brille. Je ne peux vraiment pas le quitter des yeux un seul instant. Et maintenant, que vais-je faire ?

– Traire la vache blanche, déclara-t-elle. La pauvre bête ne l'a pas été depuis une semaine.

– Bonne idée. Madame Kathenka, lança-t-il alors qu'ils traversaient l'auberge, mademoiselle Louise et moi allons traire la vache blanche.

– Tu ne peux pas emmener Louise là-bas, il y a du fumier !

– C'est elle qui veut venir. Après, je la raccompagnerai chez elle.

Et ils sortirent sur la place du marché.

– Où allons-nous ? demanda-t-elle. Où paît cette fameuse vache ?

– Dans les jardins derrière votre maison. Mais si vous préférez, je peux vous laisser devant chez vous.

Le vent était tombé et la lumière du soleil couchant teintait d'ambre les briques rouges des maisons.

C'était l'heure paisible, en début de soirée, où les chemins étaient déserts. Ils dépassèrent la maison de Louise et continuèrent vers les jardins. À un moment, Louise eut l'impression d'être observée, mais quand elle se retourna, elle ne vit qu'un jeune garçon plus intéressé par les nuages que par elle. Un chemin herbeux descendait vers un petit canal d'irrigation.

– Avons-nous le temps de nous asseoir un moment? demanda Louise.

Ils traversèrent un simple pont de bois et s'assirent sous une treille délabrée couverte de chèvrefeuille. En été, son parfum aurait été entêtant. Mais, à présent, il était aussi léger que la chanson du rouge-gorge, qui avait décidé de leur faire apprécier son chant. Le vent automnal soufflait, doux rappel du passage du temps.

– Ainsi, c'est presque fini? soupira-t-elle presque pour elle-même.

– Le portrait? questionna Pieter.

«Tellement plus que le portrait», pensa Louise, mais elle acquiesça.

– L'aimez-vous? lui demanda-t-elle.

Pieter sourit sans répondre.

– J'ai adoré vous regarder peindre ensemble, ajouta Louise, découvrir le soin que vous apportez à votre art, la façon dont vous vous partagez la tâche, la préparation de la toile et des couleurs.

Je n'avais pas idée de la somme de travail que cela représente, mais…

Un silence flotta entre eux.

– …mais bientôt le tableau sera terminé. Louise Eeden deviendra alors un moment dans le temps, capturé et figé, comme mis en bouteille. Je serai *La fiancée à la robe verte*, toujours sur le point d'exprimer quelque chose, mais sans jamais rien dire, toujours sur le point de se lever, mais assise pour l'éternité. Dans l'atelier, tout à l'heure, le maître m'a dit que, dans quelques centaines d'années, nous vivrons encore à travers ce portrait. Vous y compris. À propos, il trouve votre travail merveilleux. Les gens découvriront le génie de vos coups de pinceau, seulement qu'adviendra-t-il de moi ?

Elle contempla un banc de poissons qui se déplaçait rapidement dans l'eau peu profonde du canal. Elle regrettait d'avoir évoqué le sujet ; Pieter ne pourrait jamais comprendre. Une pulsion la poussa à poser sa main sur celle du garçon, pourtant elle se retint et se mit à l'observer. Il semblait plongé dans ses pensées et elle remarqua que ses yeux étaient à demi fermés.

Elle se souvint alors du jour où il lui avait expliqué comment il avait dessiné le verre vide. Elle sourit quand il appliqua distraitement un ou deux coups de pinceau dans l'air devant lui.

– Vous réfléchissez ? demanda-t-elle.

Il entoura un genou de ses bras et se tourna vers elle.

– Vous avez vu le maître lorsqu'il se comporte comme un ours, tapant des pieds et rageant? Peu de clients en ont été témoins. Parfois il va jusqu'à se taper la tête contre le mur, parfois il se contente de bouder, mais le pire de tout c'est quand il a fini un tableau, en particulier un tableau réussi. Nous n'en sommes pas encore là, pourtant le jour viendra.

Pieter réfléchit quelques instants avant de reprendre :

– C'est comme s'il y avait deux personnes en lui. L'une d'elles sait qu'il est temps de s'arrêter, tandis que l'autre veut ajouter encore un coup de pinceau. Mais la première sait que cela risque de gâcher la toile. Mon travail est de l'en empêcher. À l'époque où il a fini le tableau du mendiant, j'étais inexpérimenté. Le portrait était tel que vous pouvez le voir maintenant, seulement le maître continuait à le retoucher. À un moment j'ai réalisé que je devais l'en empêcher, mais je ne savais pas comment faire. Je le redoutais à cette époque. Finalement, j'ai juste dit : « Ainsi le mendiant est fini. » Oh mademoiselle Louise, c'était comme si je m'étais interposé entre les deux personnes. Il m'a attrapé par les épaules et il a hurlé : « Espèce d'idiot ! Je ne t'ai donc rien appris ? Corniaud, imbécile écervelé ! Rien de rien ! » Il me secouait comme vous secoueriez un tamis. « Un chef-d'œuvre n'est jamais terminé. » Il s'est tourné vers le tableau et j'ai compris qu'il avait repéré quelque chose qu'il voulait changer.

« Maître, s'il vous plaît, ai-je insisté. Que voulez-vous dire par "jamais terminé"? » Ma question a eu l'effet voulu. Il s'est éloigné du tableau en grommelant avant de s'attendrir, comme cela lui arrive parfois. Quand il a repris la parole, on aurait dit qu'il s'adressait au tableau. « Regarde-toi, le mendiant. De quoi es-tu fait? Une toile, de la colle, de la peinture. Tu as beau être l'œuvre du meilleur peintre de Delft, si l'on te tourne face au mur, tu n'existes plus. Tu saisis cela, Pieter? Ce n'est pas toi, ni moi, ni ce sacré monsieur Rembrandt comme il aime à se faire appeler désormais, qui créons l'œuvre d'art. Non, ce sont les personnes qui la regardent. » Soudain il s'est remis à crier : « C'est ce qui m'exaspère, Pieter. Tu peux le comprendre? Et chaque personne qui contemplera le vieux mendiant le verra différemment. Ce sont les spectateurs qui achèveront mon tableau, pas toi, ni moi, ni le mendiant! Nous, nous serons morts et enterrés. C'est pour cela que je déteste l'abandonner, que je déteste voir partir cette vieille crapule. » Nous sommes restés là, devant le portrait. Puis le maître s'est mis à se gratter. « Ce qui me rappelle, Pieter, que nous devons faire brûler du soufre pour nous débarrasser de ses puces. » Il a passé son bras autour de mon épaule et il a ajouté : « Et puis il y aura ceux, bien plus loin sur la rivière du temps, qui rendront vie à ce vieil homme pour nous. Peut-être même l'entendront-ils chanter! »

Louise aurait aimé prendre Pieter dans ses bras. Ils étaient tous deux si vulnérables, maître et apprenti, qui donnaient tant et devaient faire confiance à des inconnus pour mettre la touche finale à leur travail.

À ce moment-là, un sifflement perçant résonna dans les jardins. Pieter leva la tête, perplexe, et Louise remarqua que le soleil s'était couché derrière les maisons.

– Nous ferions mieux de nous remettre en route, dit Pieter. J'ai besoin de lumière pour traire la vache.

La richesse du jardin de M. Boerhaeve s'expliquait quand on voyait l'impressionnant tas de fumier derrière sa cabane à outils. Un filet de vapeur s'en élevait, rappelant à Louise que les soirées devenaient plus fraîches. Elle frissonna. Un second sifflement retentit non loin d'eux. Nerveux, Pieter jetait des coups d'œil alentour.

– Voilà notre vache, dit-il en désignant le tas de fumier.

Et, à l'aide d'une pelle, il en sortit un pot en argile qu'il ouvrit et tendit à Louise.

– Nous avons mis dans le pot des lamelles de plomb et du vinaigre. Et, grâce à la chaleur qui se dégage du fumier, nous avons obtenu des pigments blancs.

Il ôta du pot une feuille de plomb sur laquelle se détachait une fine pâte d'un blanc pur.

– Et voilà, déclara-t-il, la vache est traite !

Alors qu'il se redressait, un autre sifflement résonna à travers les jardins. Pieter fronça les sourcils.

– Il faut rentrer maintenant, ajouta-t-il.

Ils refermèrent le portail et se mirent en route pour le Doelen. Pieter prit Louise par le bras et l'entraîna rapidement, sans cesser de jeter des coups d'œil par-dessus son épaule. Son inquiétude était contagieuse ; au quatrième sifflement, Louise scruta les alentours, mais il faisait trop sombre pour voir qui que ce soit. Quand elle arriva devant sa porte, il ordonna :

– Fermez votre porte.

Et il s'éloigna dans la lumière déclinante.

Pieter renoua avec ses vieilles terreurs. Il se souvenait de l'école et de la façon dont les garçons plus âgés choisissaient un enfant et le harcelaient. Cela commençait par des sifflements. Le jeu consistait à ce que la victime n'identifie jamais celui qui sifflait. Cela finissait en général par une attaque dont « Pieter la marionnette » avait souvent été la cible. Il n'était guère courageux, sans soutien, et ils le savaient. Aussi avait-il eu plus que sa part de ce jeu cruel.

Il avançait d'un pas rapide ; les canaux et les ruelles semblaient des fentes noires dans la nuit menaçante.

Le premier projectile le frappa entre les omoplates avec un bruit sourd. Il fut soulagé de sentir que ce n'était pas une pierre. Du fumier peut-être. Les sifflements se rapprochèrent, plus aigus, courts, agressifs. Un autre objet le frappa, à l'épaule cette fois. Il entendit des sifflements devant lui et quelque chose de mou et humide l'atteignit au front.

Pieter se mit à courir. Les sifflements résonnaient de tous côtés maintenant, moqueurs, imitant l'appel du chasseur. Le projectile suivant était dur et le sang coula sur son front.

Lorsqu'ils se jetèrent sur lui, des éclairs de douleur explosèrent dans tout son corps. Il était de nouveau un petit garçon sans défense. Il s'agenouilla et entoura sa tête de ses bras, se protégeant du mieux qu'il pouvait. Aucune parole ne fut prononcée, seuls les coups parlaient. Il ne s'agissait pas de tanneurs ni de brasseurs, il les aurait reconnus à leur odeur.

Des grognements s'élevaient parfois tandis que les coups pleuvaient. Jusqu'à ce qu'un sifflement retentisse. Immédiatement les coups cessèrent, et il perçut le bruit des pas qui s'éloignaient.

Prudemment, comme un hérisson se déroulant après s'être mis en boule, Pieter commença à se redresser. Mais il se figea : il n'était pas seul.

Il sentit son ventre se contracter. Rien ne bougeait pourtant il devinait que quelqu'un était là, au-dessus de lui. Quelle était cette odeur? Que lui rappelait-elle? Où l'avait-il sentie auparavant?

Soudain il se souvint. La Haye, de jeunes hommes débarquant de l'étranger, cherchant à impressionner leur fiancée. Des hommes plus âgés aussi, tournant la tête des femmes avec l'odeur des voyages. L'odeur du musc… Pieter sut qui se tenait au-dessus de lui… Reynier de Vries. La rage monta en lui. Il n'avait plus qu'une idée en tête : serrer les mains autour du cou de son bourreau et l'étrangler.

– Aouch!

Le coup de pied atteignit Pieter à l'estomac. Il tomba à la renverse, cherchant sa respiration dans un haut-le-cœur. Les pavés tanguaient et, des mains, il tenta de trouver une prise sur le monde. Puis il vomit.

Quand il revint à lui, les étoiles étincelaient dans le ciel. La menace s'était éloignée avec l'odeur de musc.

Le jour suivant, Louise remarqua les bleus de Pieter. Il lui expliqua que dans l'obscurité, la veille, il avait heurté un arbre, d'où les bleus sur son visage et les coupures sur son front. Mais quand il se retourna et qu'elle vit des traces d'argile sur son pourpoint, elle eut des doutes.

– Pieter, quelles sont ces marques sur votre vêtement?

– Des marques? Je ne sais pas…

Mais Louise le retint d'une main et frotta le tissu entre ses doigts.

– C'est de l'argile, celle qui sert à la faïence…

Elle l'obligea à se retourner. À présent, elle voyait les bleus sur son visage d'un œil différent. Elle remarqua aussi qu'il avait du mal à se tenir droit.

– Pieter… insista-t-elle. Que s'est-il passé la nuit dernière? Avez-vous été attaqué?

– Ce n'était qu'un jeu comme au bon vieux temps, répondit-il en haussant tristement les épaules. Cela semble toujours les amuser.

Louise devina la douleur profonde qu'il essayait de dissimuler. Elle sentit la colère monter en elle. Quelqu'un avait osé lever la main sur Pieter. Qui s'était abaissé à agir ainsi? Elle se sentait telle une lionne protégeant ses petits, elle aurait voulu rugir. Au lieu de quoi, elle se détourna et se rendit à la fenêtre. Sa colère reflua lentement. Les bagarres n'étaient pas rares en ville mais, d'habitude, elles avaient lieu entre clans rivaux. Pourquoi des faïenciers s'en étaient-ils pris à Pieter?

Une idée lui vint soudain à l'esprit. Les ouvriers se seraient-ils érigés en gardiens de sa vertu? Elle fit face à Pieter, le visage en feu.

– Était-ce à cause de moi?

Il eut un geste vague qui décupla sa colère; si elle était concernée, elle avait doublement le droit de savoir.

— Dites-moi tout ! exigea-t-elle. Cela a quelque chose à voir avec Reynier ?

Pieter baissa la tête, évitant son regard.

— Je vais vous dire une chose, Pieter, que j'épouse Reynier ou non, cela me regarde. Personne n'a le droit de se proclamer mon gardien ou de lever la main sur vous ou sur aucun de mes amis. Reynier revient à la fin du mois, mais je veux connaître la vérité maintenant. Ont-ils mentionné mon nom ou dit quoi que ce soit à propos de Reynier ?

Il releva les yeux et elle vit sa bouche se tordre dans un pli amer qu'elle ne lui connaissait pas.

— Non, mademoiselle Louise.

Il lui tourna le dos et s'éloigna d'un pas raide vers les profondeurs de l'atelier. Elle sut qu'elle ne devait pas le suivre.

Pieter avait gardé les lèvres scellées, mais il ne pouvait pas empêcher son esprit de fonctionner. Reynier était de retour, il en était sûr et certain. Pourquoi alors n'avait-il pas pris contact avec Louise ?

Même si Kathenka disait qu'ils n'étaient pas fiancés, il était évident qu'ils étaient destinés l'un à l'autre. Tout le monde savait que les faïenceries allaient s'unir et que leur mariage réglerait les questions d'héritage.

Pieter avait toujours su que l'été aurait une fin, que Louise retournerait chez les siens. Il s'y était préparé, mais il n'avait jamais imaginé être considéré comme un rival. C'était ridicule : lui, Pieter Kunst, le rival de Reynier de Vries ! Il était persuadé que son destin était d'être l'un de ces visages que les artistes peignent dans la foule autour de la Vierge. Un adorateur, passionné et insignifiant.

Mais soudain le pinceau de l'artiste l'avait mis dans la lumière et lui avait donné de la couleur. L'attention s'était portée sur lui. Pieter Kunst était plein cadre. Il avait peut-être mal partout, mais si c'était le prix à payer pour sa complicité avec Louise, il résisterait et elle pourrait compter sur lui.

Il grimaça en direction de l'armure puis, en retenant un gémissement, il se mit à nettoyer le désordre rouge vermillon résultant de l'accident de la veille.

La vérité dévoilée

Louise traversa le marché, s'arrêta sur le petit pont derrière la Nouvelle Église et observa les feuilles tourbillonnant sur les eaux calmes du canal. Plus elle y pensait, plus elle était sûre que l'attaque dont Pieter avait fait l'objet ne lui était pas étrangère, mais pourquoi? Le motif que les feuilles formaient à la surface lui évoqua un souvenir. Elle revit une silhouette surmontée d'un bonnet, Anneke, qui pénétrait dans le quartier des faïenceries. Qu'allait-elle y faire? Louise ne pouvait l'interroger, Anneke rendait visite à des amis, elle ne serait de retour que pour le dîner.

Lorsque arriva l'heure de passer à table, aucun membre de la famille ne semblait enclin à faire la conversation. Tous étaient absorbés dans leurs pensées.

La place de sa mère resta vide, comme ils en avaient désormais l'habitude. Louise jouait avec sa nourriture, attendant que son père se lève et la laisse seule avec Anneke, mais comme il ne partait pas, oubliant son discours soigneusement préparé elle se lança :

– Anneke! dit-elle. La nuit dernière, Pieter Kunst a été attaqué en rentrant chez lui par des apprentis faïenciers. Je le sais parce qu'ils lui ont jeté de l'argile.

Son père leva la tête, la mine curieuse, mais Louise garda les yeux fixés sur Anneke qui se figea derrière un masque de vertu. Elle savait quelque chose, sans aucun doute.

– Ça n'a pas dû lui faire bien mal, rétorqua-t-elle.

– Non Anneke, mais les coups de poing et les jets de pierres qui ont suivi, si!

– Je n'ai jamais… commença Anneke d'une voix indignée.

Louise fondit sur elle en un clin d'œil.

– Tu n'as jamais quoi?

Elle ne la quittait pas des yeux.

– Je t'ai vue aller à la faïencerie de Vries. Que manigançais-tu?

La réaction d'Anneke prit Louise par surprise. Le visage de la vieille femme passa soudain du blanc à l'écarlate. Elle secoua la tête comme un dindon, tremblante d'indignation.

– Mais tu es fiancée!

162

– Non Anneke, répliqua Louise. Je ne suis pas fiancée. Je ne me suis engagée envers personne et ne suis promise à personne. J'ai peut-être l'intention d'épouser Reynier de Vries, mais nous ne sommes pas fiancés !

Elle essayait de garder son calme et de ne pas malmener la vieille femme. Anneke ne montra aucun signe de faiblesse quand elle répondit :

– Tu profites de l'absence de ce pauvre garçon qui est à l'étranger pour le commerce de son père !

– C'est faux ! J'étais indécise, incapable de répondre à sa demande en mariage. Cela n'avait rien à voir avec le métier de son père. Il est parti pour m'épargner les rumeurs. À présent je veux savoir qui les a répandues.

– Petite sotte ! Tu es sa promise ! Il me l'a dit lui-même. Il m'a demandé de veiller sur toi pendant qu'il était absent. Honte à moi d'avoir pensé que tu étais en sécurité chez maître Haitink. Comment aurais-je pu imaginer que tu fréquenterais ce… ce simple d'esprit, cet empoté…

– Ça suffit !

Tel un coup de sabre dans leur dispute, la voix de son père les interrompit.

Louise tressaillit. Les yeux de son père étaient des lames d'acier contrastant avec ses moustaches avenantes. Jamais auparavant Louise n'avait essuyé ce regard, et elle n'aimait pas cela. Quand il reprit la parole, sa voix était glaciale.

– Anneke a raison, Louise. Cornelius de Vries, qui est un homme d'honneur, confirmerait ses dires. Reynier l'a informé que vous étiez fiancés, que tu avais accepté sa demande en mariage.

Le silence envahit la pièce. Louise n'y comprenait plus rien.

– Mais dans ce cas, père, pourquoi Reynier est-il parti pour l'Italie ?

– Comme l'a dit Anneke, il a été envoyé en mission. Une mission prévue depuis des mois. Il est allé visiter les faïenceries Majolica à Florence. Le moment venu, il héritera de la faïencerie de Vries, c'est pourquoi il doit connaître la concurrence ; cela fait partie de son apprentissage.

– Visiter des faïenceries ? murmura Louise. Alors qu'il prétendait partir par égard pour moi ?

– Si c'est ce qu'il t'a affirmé, il s'agissait d'un mensonge.

Son père la dévisageait toujours de son œil tranchant comme le fil d'une épée.

– Mais père, cela ne vous a pas étonné qu'il ne vous demande pas ma main ?

– Si, en effet, mais Cornelius m'a dit que Reynier de Vries préférait que vos fiançailles aient lieu après son retour. Si quelque chose lui arrivait pendant son voyage, tu ne serais pas compromise.

Son père la fixait. Elle lui devait la vérité même si elle allait le blesser profondément. Faute de quoi, elle perdrait son estime, probablement pour toujours.

– Louise, reprit-il d'un ton mesuré, est-il vrai que Reynier t'a demandé de l'épouser ?

La question était facile.

– C'est vrai père, s'entendit-elle répondre.

De l'autre côté de la table, Anneke fit claquer sa langue de satisfaction. Louise soutint le regard de son père. Il semblait avoir du mal à maîtriser sa voix pour poser la question… inévitable.

– Et as-tu accepté sa proposition ?

C'était le moment de mentir. D'un mot, elle pouvait réaliser les rêves de son père et offrir à sa mère le réconfort de la savoir mariée. Reynier avait parié qu'elle entendrait raison. Sa voix résonnait à son oreille… « Pour le bien de votre père… son rêve… votre mère… » Il suffisait de dire oui.

Elle se rappela alors d'autres paroles. « Cette situation peut s'arranger, aussi vrai que je m'appelle Kathenka Haitink. »

Louise chuchota :

– Non.

Et au cas où ils ne l'auraient pas entendue, elle répéta plus fort :

– Non.

Pendant ce qui lui sembla une éternité, le regard de son père la scruta, cherchant un signe de faiblesse, un geste de défi qui trahirait un mensonge, mais peu lui importait à présent. Bientôt, elle se rendit compte qu'il lui parlait doucement comme à une petite fille, mais derrière ses mots elle décelait une terrible colère.

– Tu es la victime d'une cruelle tromperie, mon enfant. Jusqu'à ce que j'en comprenne la raison, tu dois considérer que tes fiançailles sont en suspens. Et je t'interdis de voir, de parler ou de communiquer avec Reynier de Vries !

Elle le regarda, incrédule. Comment aurait-elle pu parler à Reynier qui se trouvait au beau milieu de la Méditerranée ? Elle aurait souhaité ne jamais reparler à Reynier de sa vie. Son père comprenait-il qu'il était le grand perdant dans cette histoire ?

– Père… les faïenceries, le commerce, votre rêve. La liberté d'exercer l'art que vous aimez… Cela ne dépend-il pas de mon mariage avec Reynier ? Ce n'est pas mon rêve qui s'envole, mais le vôtre.

Elle leva les yeux, prête à partager sa déception. Son père s'était dressé, sa chaise était tombée à la renverse et il contournait la table pour venir jusqu'à elle. Il prit sa fille par les épaules.

– Tu veux dire que tu t'apprêtais à épouser Reynier pour mon bien ? Pour que nos faïenceries puissent s'unir et que je sois libre ?

Louise chercha les mots pour lui répondre.

– Je… je pensais que Reynier était différent, honnête. Et l'épouser semblait le meilleur moyen de rendre tout le monde heureux.

Ses yeux se remplirent de larmes. C'en était fini des incertitudes, des incompréhensions. Elle se blottit contre lui comme une petite fille.

– Père, suis-je libre à présent ?

Les bras de son père se refermèrent autour d'elle, comme ceux de Pieter le jour où le gobelet avait éclaté. C'est à peine si elle perçut le bruit de la porte se refermant derrière Anneke qui quittait la pièce.

Le lendemain, Louise bouda son petit déjeuner, jouant avec la nourriture dans son assiette sans rien manger. Pourquoi, mais pourquoi était-ce dimanche, le seul jour où elle n'avait aucune raison de se rendre à l'atelier?

Elle s'était couchée la veille dans un délire heureux, en récapitulant tout ce qu'elle aurait à raconter à Pieter. À présent, sa confiance s'évaporait. Pieter représentait tout à ses yeux, mais comptait-elle seulement pour lui? Pourquoi aurait-elle compté? Elle se souvint de la façon dont il avait réagi quand, après leur visite au béguinage, elle lui avait demandé s'il l'appréciait. Il s'était figé, comme si elle avait tenté de pénétrer dans sa vie par effraction.

Des bouffées de rage contenues contre Reynier l'envahissaient parfois, qui la laissaient épuisée et insatisfaite. Elle se demanda si elle avait de la fièvre. D'habitude, le dimanche, elle allait à la Nouvelle Église pour faire plaisir à Anneke, mais elle n'irait pas, aujourd'hui. Le petit déjeuner était presque fini, pourtant Anneke n'était pas descendue les rejoindre. Si quelqu'un devait répondre de ses actes, c'était bien la nourrice. Elle était la seule à avoir pu propager le mensonge de Reynier à propos de leurs fiançailles. Avait-elle aussi monté les apprentis contre Pieter ?

Comme si les pensées de Louise l'avaient attirée, la porte s'ouvrit sur Anneke. Elle était habillée pour l'église : une robe de taffetas noir, un tablier noir, de simples manchettes blanches, une calotte noire aux pans modestes. Elle fixait le sol.

– Monsieur, j'aimerais vous parler.

Louise était absolument certaine qu'Anneke n'avait jamais demandé à qui que ce soit l'autorisation de s'exprimer. Elle disait ce qu'elle pensait avec la franchise des puritains.

– Louise, peut-être pourrais-tu nous laisser un moment, demanda doucement son père.

– Non, monsieur. Mademoiselle Louise doit entendre ce que j'ai à dire, insista Anneke.

Quelque chose dans sa voix suggérait qu'elle n'était pas aussi repentante qu'elle en avait l'air.

– Mademoiselle Louise, je vous dois des excuses, déclara-t-elle, les mains modestement croisées devant elle. Je pensais que monsieur Reynier était un homme d'honneur, mais ce n'était pas le cas.

Après cet aveu, ses mains retombèrent et elle se redressa.

– J'avais l'impression que ma jeune maîtresse était en danger.

– En danger ? questionna son père.

Anneke garda les yeux baissés, mais sa voix avait repris de l'assurance.

– Il y a des choses sur lesquelles nos opinions diffèrent. Depuis que madame est tombée malade, j'ai porté la responsabilité de l'âme de mademoiselle. À présent...

– Son âme ? Mais quel danger redoutiez-vous ?

Anneke avança le menton avec un air de défi. Louise frissonna d'appréhension.

– Je parle de monsieur Kunst. Je n'ai rien contre le comportement de ce jeune homme, et son apparence est celle que Dieu lui a donnée. Seulement il y a une chose qui fait de lui un compagnon peu recommandable pour mademoiselle Louise.

– Serait-il le diable en personne ? demanda son père en souriant, mais Anneke n'était pas décidée à plaisanter.

– Pire ! coupa-t-elle en se tournant vers Louise, tremblante d'émotion.

Louise savait ce qui allait arriver et elle le redoutait déjà. La nuit où Anneke avait attaqué Pieter dans les escaliers, l'un des mots qu'elle avait criés s'était distingué des autres... « Antéchrist ! »

– Pieter Kunst est catholique ! reprit Anneke.

Elle eut un petit geste méprisant qui choqua Louise autant que si elle avait jeté à ses pieds un seau de pécheurs torturés tout droit sortis d'un tableau de Hieronymus Bosch.

Louise eut un mouvement de recul tandis qu'Anneke se dirigeait vers la porte, le taffetas noir de sa robe bruissant de colère. Elle entendit à peine Anneke déclarer :

– Monsieur, je rentrerai tard de l'église, j'ai du travail à y effectuer.

M. Eeden essaya de réconforter Louise mais il ne se doutait pas de ses cauchemars intimes. Il n'avait pas entendu Anneke lui décrire les tortures de l'Inquisition espagnole. Bien que se croyant l'esprit très ouvert, Louise éprouvait un mélange de crainte et de répulsion envers la religion catholique.

Des hommes et des femmes avaient été écorchés vifs et brûlés pendant l'Inquisition. Jusqu'à présent, elle n'avait jamais associé ces atrocités à la communauté tranquille de catholiques qui vivaient à Delft. Elle savait bien sûr que Pieter appartenait à cette obscure communauté, le maître le taquinait suffisamment à propos de « ses saints »! Mais cela n'influait pas sur leurs rapports.

C'était comme Baruch Spinoza, le polisseur de lentilles, l'ami juif de son père. Ils étaient différents, voilà tout. Jusqu'à ce qu'Anneke sème la confusion dans l'esprit de Louise et que, d'un coup, elle ait abattu la digue qui retenait la vague de préjugés qu'elle lui avait insufflés au fil des ans. Les inclinations naturelles et rationnelles de Louise étaient emportées et noyées par une crue nauséabonde. Elle comprit qu'Anneke avait trouvé le seul moyen de la détourner de Pieter Kunst.

Son père se préparait à parler, mais Louise n'était pas d'humeur à l'écouter. Il fallait qu'elle sorte, qu'elle agisse, qu'elle se prouve à elle-même qu'elle était maîtresse de sa propre vie.

Elle saisit sa cape dans l'entrée, enfila ses sabots et s'arrêta sur le perron de la maison. Où aller ? Il lui fallait effacer Pieter de son esprit. Elle laissa ses pieds décider du chemin, marchant rapidement la tête baissée au cas où elle rencontrerait une personne de sa connaissance. Quand elle releva les yeux, elle se trouvait devant le tas de fumier de M. Boerhaeve. Elle se mit à pleurer.

– Que Pieter aille au diable ! Qu'ils aillent tous au diable ! sanglota-t-elle.

Elle traversa les jardins de la ville, jusqu'au Schiekanaal. De fulgurants éclairs de bonheur et de sérénité traversaient son esprit mais disparaissaient tels les mirages sur les routes l'été. Elle grimpa en haut des remparts. Elle cueillit une fleur sauvage mauve pour la jeter dans le canal, symbole ultime de son rejet du passé. Lorsqu'elle la lança, une soudaine bourrasque la lui rejeta au visage. Elle la garda longuement dans sa main avant de la glisser dans sa poche.

Elle redescendit, le pas et l'humeur plus légers. Un doux trille s'éleva non loin d'elle et lui arracha son premier sourire de la journée. Était-ce son ami le chardonneret ? Elle se demandait pourquoi sa chanson faisait battre son cœur. Elle souriait toujours quand la porte de la maison s'ouvrit et que M. Fabritius, l'artiste, apparut.

– J'espère que c'est pour moi que vous souriez, mademoiselle Eeden, lui dit-il.

– J'ignorais que vous chantiez comme un pinson ! répondit-elle avec effronterie.

Sentant qu'elle était peut-être allée trop loin, elle s'inclina pour le saluer. L'artiste semblait amusé.

– Il est grand temps pour notre ami de prendre ses quartiers d'hiver. Accepteriez-vous de m'aider?

L'homme ressemblait à ses toiles : instinctif et direct. Une bonne odeur de cuisine convainquit Louise; sa femme devait être à la maison.

– Si je peux vous être utile…

La maison semblait très calme quand ils la traversèrent pour rejoindre l'atelier. Elle chercha le tableau du chardonneret, mais il avait disparu. Sur le chevalet se trouvait un portrait à demi achevé d'un capitaine au visage fort, vivant et vigoureux. La peinture de maître Fabritius était moins élaborée que celle de maître Haitink mais elle existait, à sa manière.

– Ça vous plaît?

Le peintre s'était tourné et il la dévisageait.

– Oui, beaucoup, dit-elle, les yeux fixés sur le tableau.

Elle entoura ses épaules de sa cape. Quand leurs regards se rencontrèrent, elle baissa la tête mais il anticipa son mouvement et tendit la main pour relever son menton.

– Ainsi, ce vieux Jacob Haitink a eu le privilège de peindre Louise Eeden.

– Maître… Et votre chardonneret? chuchota-t-elle.

Il se détendit et éclata de rire.

– Vous êtes une jeune fille de caractère. À présent que nous sommes voisins, nous devons mieux faire connaissance. Mon chardonneret s'appelle Midas. Il est dehors mais il est l'heure qu'il rentre. Après vous… Un verre de vin ?

– Je vous laisse passer devant, ainsi ce sera vous qu'il changera en or, et pas moi.

– Ainsi vous connaissez l'histoire du roi Midas qui a changé sa fille en or ! s'exclama-t-il en riant.

Maître Fabritius monta sur une chaise dans la cour et détacha le petit oiseau de son perchoir en lui parlant. Puis il tendit le bout de la chaîne à Louise. Le chardonneret perché sur son petit doigt, il descendit prudemment. Soudain la chaise glissa sur les pavés et tandis que Louise retenait le peintre, l'oiseau s'éleva en battant des ailes et se percha au sommet du mur.

– Vite jeune fille, vite, s'écria-t-il. Passez-moi des graines. Le pot est sur le rebord de la fenêtre.

Il en mit dans sa paume et appela Midas, la main levée. Par habitude, ou par politesse, le chardonneret répondit à son invitation par une petite révérence. À ce moment-là, une rude bourrasque balaya le sommet du mur. Elle envoya Midas planer dans les airs jusqu'aux pignons de la maison. Là, il lança un bref trille pour célébrer sa liberté, avant de disparaître au-dessus des toits.

– C'est à cause de vous ! s'emporta le peintre. Cet oiseau représente plus pour moi que… que…

Il s'arrêta brusquement, ses épaules s'affaissèrent et il leva les yeux vers le ciel vide.

– Pardonnez-moi, mademoiselle Louise. Un jour ou l'autre il devait s'envoler.

Il esquissa un sourire et elle sentit qu'il était temps pour elle de partir. Avec l'oiseau s'était envolé le souvenir des imprécations d'Anneke. Après tout, Louise se moquait bien qu'on soit catholique, juif ou païen. Pieter était Pieter et il était son ami.

– Je vais chercher Midas, déclara-t-elle en se dirigeant vers la porte.

Elle sourit joyeusement, de nouveau maîtresse de la situation. Elle s'arrêta au bas de l'escalier pour mettre ses sabots et leva les yeux. M. Fabritius avait le regard rivé sur les toits.

L'émeute

En passant devant la Nouvelle Église, Louise s'arrêta et entendit la voix du pasteur monter crescendo :

– Quinzièmement, mes frères…

Elle riait de son escapade en courant jusqu'à l'auberge. Elle était fermée ; elle hésita. Il n'y avait pas d'église catholique à Delft, aussi Pieter serait-il sûrement chez lui.

Elle prit son courage à deux mains, et frappa doucement. Il n'y eut pas de réponse, elle frappa plus fort. Elle entendit la voix de Kathenka à travers la porte :

– Nous ne sommes pas ouverts…

– Kathenka, c'est moi, Louise.

Immédiatement, le verrou fut levé.

– Je ferme la porte quand Pieter et le maître sont dehors, expliqua-t-elle. D'autant qu'il y a des rumeurs sur des troubles qui auraient eu lieu en ville.

– Je cherche Pieter, déclara Louise.

– Il est à l'église, répondit prudemment Kathenka.

– Ce n'est pas possible, il n'y a pas d'église catholique en ville, protesta Louise.

Kathenka sembla soulagée.

– Ah, vous savez qu'il est catholique; je n'en étais pas sûre. Eh bien, en réalité, il y a une église. Elle est petite et cachée, les conseillers de la ville ont insisté là-dessus. Elle se trouve dans une impasse non loin d'ici.

Louise était décontenancée. L'idée d'une église clandestine réveilla les peurs que Midas avait chassées. Pendant un instant, dans son esprit, l'impasse ressembla à une scène de Hieronymus Bosch.

– Oh... Je croyais... Je ne pensais pas.

– Tout va bien?

– Oui, merci, Kathenka. Peut-être pourriez-vous me dire où se trouve cette église?

Avant que Kathenka ne réponde, des cris s'élevèrent, suivis par des bruits de course.

– Des apprentis, je suppose, observa Kathenka. Ils sont intenables. Ils seront partis sous peu.

Lorsque Louise sortit du bar, ils avaient en effet disparu. Elle mit sa capuche sur sa tête et s'éloigna dans la direction que Kathenka lui avait indiquée. Trois autres apprentis la dépassèrent en courant et en riant.

Elle s'arrêta sur le pont à l'entrée de Grensweg. C'était une partie délabrée de Delft. Un chat mort flottait à la surface du canal. De petits escaliers menaient aux portes des maisons, signe que le quartier était inondable. Elle remonta la rue jusqu'à une allée qui correspondait à la description de Kathenka. L'entrée de l'église clandestine devait être là.

« Les conseillers de la ville ne veulent pas qu'elle ouvre sur la rue principale », avait-elle expliqué.

L'impasse grouillait de monde. Peut-être le service était-il terminé, et n'aurait-elle pas besoin de s'approcher ? Mais pourquoi se dirigeaient-ils tous vers le bout de l'allée et non vers la rue ?

Elle emprunta le chemin qui longeait le canal. Elle reconnut dans la foule les trois garçons qui venaient de la dépasser. Il y eut un bruit de verre brisé, des éclats de voix, et la foule recula. Louise se rendit compte qu'il ne s'agissait pas d'une congrégation mais que le groupe n'était composé que de jeunes apprentis. En longeant les murs des maisons, elle se fraya un chemin parmi eux. Un sifflement aigu résonna et, inquiète, Louise se sentit entraînée par le groupe. Elle allait protester lorsqu'elle remarqua que les garçons avaient couvert leurs visages avec des mouchoirs.

Le sifflement retentit de nouveau. Elle était certaine de l'avoir entendu la nuit où Pieter avait été attaqué.

– Brûlez les papistes ! À bas le pape ! Antéchrist ! scandaient les garçons.

Puis l'un d'entre eux, dont la voix avait à peine mué, cria des injures qui auraient fait honte aux démons des tableaux de Hieronymus Bosch. Leur haine la frappa comme une bourrasque fétide. Comment pouvait-on proférer de telles horreurs ? Pendant un instant, Louise se souvint qu'elle avait aussi succombé à ses peurs irraisonnées et à ses préjugés. Elle se demanda qui les avait incités à se comporter ainsi.

Un nouveau mouvement de foule pressa Louise contre le mur. Son visage était collé contre une fenêtre. À travers la vitre, elle distinguait un lit clos et une chaise recouverte de vêtements, un véritable havre de paix comparé à la foule qui hurlait derrière elle. Si seulement elle avait pu entrer...

Soudain la porte de la chambre s'ouvrit, et un petit homme rond en soutane y pénétra. Louise frappa furieusement au carreau. Il la regarda, les yeux écarquillés, en secouant la tête. Louise frappa de nouveau avec insistance. Il actionna le loquet, visiblement terrifié de laisser entrer quelqu'un. La fenêtre s'ouvrit et Louise tomba la tête la première dans la pièce. Elle se releva tandis qu'il refermait la fenêtre. Personne dans la foule n'avait remarqué ce qui s'était passé.

Louise écarta les mains afin de montrer au prêtre qu'elle ne lui voulait aucun mal. Des gouttes de sueur coulaient sur son front et sa lèvre inférieure trembla lorsqu'il prit la parole.

– Je… je dois partir… Mais vous… vous pouvez rester, ils ne feront pas de mal à une protestante.

Comment le savait-il?

– Je suis désolé, dit-il en essuyant avec sa manche la sueur coulant dans ses yeux. Vous comprenez, madame, je ne suis pas courageux. Pas courageux du tout; mais je dois aider les miens.

– Au contraire, je pense que vous êtes très courageux, le corrigea doucement Louise. Vous m'avez sauvée de cette foule.

C'est alors qu'une voix tonitruante retentit à travers le verre brisé de la fenêtre.

– Ouvre, vermine. Fais-le sortir. Si tu ne nous le donnes pas, nous vous brûlerons, toi et ta sale petite église.

Le prêtre eut un mouvement de recul.

– Qui… qui voulez-vous? demanda-t-il, la voix tremblante.

– Il le sait. Je l'appelle la marionnette. Mais peut-être est-il trop lâche pour sortir de son plein gré. Dis-lui que je lui couperai ses ficelles moi-même s'il ne sort pas sur-le-champ.

En reconnaissant la voix, Louise se figea. Perdait-elle la raison? Reynier ne devait-il pas revenir de l'étranger dans plusieurs semaines? Et Pieter était là, dans la maison du prêtre?

Soudain elle vit Pieter surgir dans la chambre du prêtre, mais elle était comme paralysée. Ils n'allaient tout de même pas le laisser sortir ! Il ne savait pas se battre, il serait mis en pièces.

Pieter avait déjà atteint la porte d'entrée. Si elle ne réagissait pas, il sortirait. Elle se précipita vers lui tandis que le prêtre essayait de la retenir. Mais Pieter ouvrit le verrou et sortit. Louise s'accrocha à sa veste, tentant de le tirer en arrière. La porte se referma bientôt derrière eux dans un claquement.

Soudain Reynier cria, et Louise crut que son cœur allait s'arrêter. Il devait être tout près. Il calmait la foule, parlant avec cette autorité qu'elle connaissait si bien. Sa voix s'éleva clairement au-dessus de leurs clameurs.

– Silence, mes amis, silence ! Nous devons être raisonnables.

Elle aurait voulu se boucher les oreilles, elle n'osa pas bouger. Elle était comme envoûtée. Quand Reynier était-il rentré ? Elle l'ignorait mais il était là à présent, presque assez proche pour qu'elle puisse le toucher. Il y eut des huées et des rires.

– Silence, les gars… patience. Laissons monsieur Kunst s'exprimer !

Elle percevait la moquerie dans sa voix si détendue, si naturelle. Elle connaissait bien son fatal pouvoir de séduction. N'avait-elle pas été sous son emprise depuis son plus jeune âge ? Combien de fois lui avait-il imposé sa volonté dans leurs jeux d'enfants? Combien de fois s'en était-il tiré à bon compte alors qu'elle était punie? Et puis, bien sûr, combien de fois le « gentil » Reynier avait-il ensuite séché ses larmes? Elle imaginait ses paroles quand il la découvrirait cachée dans la maison du prêtre. «Venez Louise, mon amie de toujours. Vous savez que nous sommes faits l'un pour l'autre, laissez-vous aller. Trahissez Pieter, trahissez-vous vous-même. Épousez-moi. Vous n'avez pas d'autre choix… » Elle se répéta : « Pas d'autre choix… pas d'autre choix. » Le désir irrésistible de sortir de sa cachette était de plus en plus violent.

Mais ce fut Pieter qui s'avança. D'un pas. Un pas suffisant pour briser l'emprise que Reynier avait sur elle. Louise redevint lucide et comprit en un instant le plan de Reynier. Il voulait pousser Pieter à l'attaquer, ce serait alors le signal. La foule déchaînée se jetterait sur lui sans que Reynier soit impliqué et il serait parti depuis longtemps pendant qu'ils achèveraient la besogne. Puis, dans quelques semaines, il rentrerait chez lui comme prévu, innocent, le dernier obstacle qui l'empêchait d'épouser Louise levé.

Elle tendit l'oreille, il avait baissé la voix. Il ne s'adressait plus à la foule mais à Pieter, comme s'il parlait à un vieil ami. Louise connaissait ce ton enjôleur. Elle ne pouvait pas laisser Pieter tomber dans le piège.

– Tu comprends, Pieter, disait-il. Elle n'a peut-être pas beaucoup de cervelle, mais elle est l'héritière d'une fortune fantastique.

Bien qu'elle ait pressenti son geste, Louise fut surprise quand Pieter s'élança. Elle attrapa son manteau alors qu'il se jetait sur Reynier. Cela suffit à le faire chanceler et tomber aux pieds de Reynier.

Appuyé contre la rampe qui protégeait le haut des escaliers, Reynier, un mouchoir masquant le bas de son visage, s'esclaffait. À ses pieds, Pieter tentait de se relever et les apprentis criaient à l'unisson. C'était le moment de prendre les choses en main.

– Je ne suis pas… je n'ai jamais été fiancée à Reynier de Vries, s'écria-t-elle en levant les mains au-dessus d'elle.

Ses mots se perdirent dans la clameur de la foule. Les apprentis rugirent de plus belle. Une seconde auparavant, ils l'avaient vue pousser Pieter aux pieds de Reynier. Si elle voulait qu'ils brûlent l'église ou lynchent Pieter, ils s'exécuteraient. Une torche enflammée progressait dans la foule. Louise la contempla, horrifiée. Reynier était l'instigateur de cette violence. Elle se tourna vers lui. Derrière son masque, il riait.

– Attrapez Pieter Kunst! s'écria-t-il.

Mais Louise n'avait qu'une idée en tête : révéler le vrai visage de Reynier!

Elle se jeta sur lui et arracha son masque. Il la serra dans ses bras, transformant sa colère en une étreinte passionnée. La foule les acclama tandis que Louise le repoussait vivement.

La fumée résineuse des torches lui piquait les yeux. Des larmes coulaient sur son visage. Un silence soudain s'abattit sur l'assemblée. Le moment de vérité était arrivé et tous sentaient qu'ils avaient atteint un point de non-retour. Un grand apprenti s'approcha de Louise, une torche enflammée dans la main droite. Pourquoi la fixait-il ainsi ? Qu'avait-elle à voir dans cette histoire ? Tout à coup elle comprit : il attendait son ordre. Devait-il ou non abaisser la torche ? La flamme frétillait. Elle scruta la foule, la plupart des garçons avaient retiré le mouchoir qui leur servait de masque. Ils ressemblaient à des êtres ordinaires, mais ils étaient aussi des monstres qui attendaient d'être satisfaits. L'apprenti à la torche ne quittait pas son visage des yeux. Il fallait un sacrifice, du sang ou des flammes, peu importait.

Louise sentit un mouvement à ses côtés alors que Pieter se relevait. Ils avaient choisi Pieter. Elle leva les yeux sur l'apprenti et secoua la tête. Puis elle saisit la main de Pieter.

Trois sons distincts brisèrent le silence. Le premier était un cri de femme. Le deuxième le bruit d'un coup asséné. Et le troisième un cri de douleur.

La voix d'Anneke s'éleva, perçante, indignée et chargée de l'autorité due à son âge.

Stupéfaite, Louise regarda sa vieille nourrice se frayer un chemin dans la foule dense, sa canne s'élevant et retombant comme l'épée d'un guerrier.

– Doucement, grand-mère! dit quelqu'un en plaisantant.

Arrivée en bas des escaliers, elle leva les yeux sur eux.

– Anneke, ma vieille alliée, cria Reynier. Montez, montez, il est à votre merci!

Haletante, Anneke rassembla ses forces. Elle venait pour Pieter, Louise en était certaine, aussi s'avança-t-elle devant lui.

Quand Anneke frappa, ce fut avec la vivacité d'un serpent. Louise cria, mais ce fut Reynier qui reçut le coup; il tomba, gémissant de douleur et d'étonnement. Un murmure étonné ou peut-être admiratif traversa la foule.

– Serviteur de Belzébuth! Tu as perverti la vérité! Tu m'as menti sur les fiançailles, tu as menti à Louise sur les raisons de ton départ, tu as menti à ton père et tu mens à tes amis apprentis ici présents!

Puis elle se tourna vers les apprentis.

– Vous êtes des imbéciles, tous autant que vous êtes. Vous vous êtes laissés entraîner dans cette folie qui pourrait vous faire jeter en prison. Ce garçon n'est qu'un menteur et un tricheur.

– Et les papistes? cria quelqu'un. Brûlons-les tous!

– Laissez-les tranquilles! Certains seront damnés pour leur ignorance, mais leur damnation n'est rien à côté de celle des élus qui trahissent leur foi avec leurs mensonges de serpent!

Il y eut un murmure, d'approbation peut-être. S'ils ne pouvaient pas brûler l'église, ils trouveraient une autre occupation. Anneke se tourna vers Reynier, qui se relevait péniblement. Un filet de sang coulait sur son visage.

– Tu es responsable de la situation, accusa-t-elle. À présent, c'est à toi de les raisonner et de les éloigner.

Reynier hocha la tête, mais il ne regardait pas Anneke. C'était Louise qu'il dévisageait. Il lui parla comme jamais auparavant.

– Louise, dit-il simplement. Viendras-tu avec moi?

C'était probablement la première fois qu'il s'adressait à Louise comme à une égale, comme à un être humain. Si seulement il lui avait parlé ainsi, ne serait-ce qu'une fois…

– Non, Reynier, dit-elle.

Il était trop tard pour les « si seulement ». Elle avait trouvé un homme infiniment meilleur.

Reynier se tourna vers Pieter.

– Ainsi, Pieter Kunst la marionnette devient le marionnettiste. Bon vent.

Puis vers la nourrice.

– Au revoir, Anneke. C'était de vous que j'étais amoureux, en réalité.

Le Reynier que Louise connaissait bien était déjà de retour.

D'un mouvement leste, il sauta par-dessus la rampe et atterrit dans l'allée en contrebas.

– Venez, les gars… Venez.

Son sifflement perçant se répercuta sur les murs tandis qu'il s'éloignait dans la rue étroite, sa troupe derrière lui. Était-il le chasseur ou la proie, nul ne pouvait le dire.

– Peut-être n'est-il pas si mauvais dans le fond, souffla Pieter en le regardant disparaître.

– N'ajoute pas la stupidité à tes nombreux péchés, mon garçon. Un loup reste toujours un loup, le corrigea sèchement Anneke avant de se détourner.

L'église clandestine

Avec un frisson mal dissimulé, Anneke refusa l'invitation de Pieter de se réfugier dans l'église. Ils l'accompagnèrent au bout de l'allée, et l'engagèrent à emprunter la direction opposée à celle des apprentis.

Louise hésita : devait-elle raccompagner Anneke à la maison ? Mais déjà elle s'éloignait le long du canal. Pieter prit la main de la jeune fille. Il n'avait encore jamais agi ainsi. Cela la décida à retourner à l'église, afin de remercier le prêtre de l'avoir laissée entrer chez lui.

Il les attendait dans la cuisine, les membres de la paroisse rassemblés autour de lui, des hommes, des femmes et des enfants au visage curieux et souriant. Louise se demanda si c'était là qu'avait lieu le service quand elle découvrit un escalier qui s'élevait au fond de la pièce.

Le prêtre fit un petit discours pour les remercier puis déclara :

– Venez mes enfants, montons et remercions Marie et tous les saints de nous avoir accordé leur salut aujourd'hui.

Les fidèles s'engagèrent dans les escaliers, rappelant à Louise un tableau qui représentait une procession des justes montant au ciel. C'était une pensée malheureuse, puisqu'elle lui rappela les images de Hieronymus Bosch, et elle se rendit compte qu'elle serrait la main de Pieter de toutes ses forces. Et si une manifestation diabolique l'attendait là-haut ?

– Mademoiselle, chuchota le prêtre qui s'était aperçu de son embarras, si vous ne souhaitez pas vous joindre à nous, ma chambre est à votre disposition.

Cette perspective chassa immédiatement les doutes de Louise.

– Si vous me le permettez, monsieur, j'aimerais assister au service, répondit-elle. Je resterai bien sûr assise au fond en silence.

Elle ne réussissait pas à l'appeler « mon père », et elle savait que « service » n'était pas le terme approprié, mais heureusement personne n'était d'humeur à le lui reprocher.

On la conduisit sans attendre au troisième étage. Elle dut lâcher la main rassurante de Pieter, car les escaliers étaient trop étroits pour qu'ils les gravissent côte à côte.

Elle avait surmonté le souvenir des images de l'Horribilis Bosch. La paroisse était composée de gens ordinaires comme elle en rencontrait tous les jours, et il était évident que le prêtre n'était pas le diable. Mais elle n'était jamais allée à un service catholique. Et si on lui demandait de s'engager pour quelque chose auquel elle ne pouvait pas croire ? Elle ne pourrait pas se taire, elle n'y était pas parvenue quand le maître l'avait provoquée à propos d'Aristote et de ses sphères de cristal. Mais peut-être existait-il d'autres moyens de trouver la vérité que par la simple logique. Elle se rappelait comment Pieter était parvenu à dessiner le verre vide.

Ils avaient atteint le palier du troisième étage. Avec un mot d'excuse, le prêtre disparut dans un couloir sombre tandis qu'ils franchissaient une simple porte de bois munie d'un judas. Louise suivit Pieter et s'arrêta net, stupéfaite.

– Mais c'est magnifique ! murmura-t-elle, incapable de dissimuler sa surprise.

Pieter s'agenouilla en faisant le signe de croix. « Une génuflexion » disait Anneke avec dégoût. Une partie de l'esprit de Louise pensa « idolâtrie », tout en songeant : « Mais qui ne s'agenouillerait pas ici ? » Elle était fascinée. L'église était petite, à peu près de la même surface que l'atelier du maître, mais plus haute, car le grenier avait été supprimé. Il en restait deux galeries étroites qui couraient de chaque côté de la pièce.

Au plafond s'incurvaient les poutres du toit. Au fond de l'église elle vit l'autel sur lequel trônait une croix en or élaborée, flanquée de deux bougies, leur flamme vacillant dans le courant d'air qui s'engouffrait par la porte. « Sanglant et brillant », c'était ainsi qu'Anneke décrivait les autels catholiques. Celui-ci semblait faire naturellement partie de cette église. Une gigantesque peinture recouvrait le mur derrière l'autel, ses couleurs luisaient dans la faible lumière. Louise avait presque peur de la regarder. Mais elle ne représentait ni terreurs ni tourments, juste une femme s'élevant dans les nuages, Marie, bien sûr, entourée d'une volée de chérubins ailés. Au-dessus du cadre, un bas-relief de plâtre blanc et doré semblait prolonger le tableau. Dieu se penchait, comme pour attraper la main que Marie lui tendait.

Louise sentit une légère pression derrière elle et comprit qu'elle devait s'asseoir. Mais elle voulait rester près de la porte, afin de s'éclipser facilement si elle en ressentait le besoin. Elle n'était pas encore sûre de la façon dont elle réagirait quand le service commencerait. Il y avait une place près de la porte, elle s'y assit, soulagée. Un petit garçon à qui il manquait une dent grimpa à côté d'elle en souriant, et disparut derrière le banc.

– Ne vous inquiétez pas, mademoiselle. Je dois actionner les soufflets de l'orgue et il émet d'affreux bruits de pets jusqu'à ce qu'il y ait assez de pression.

Louise sourit, en espérant que les fidèles connaissaient les caprices de l'instrument. Elle aimait le sentiment d'être ainsi mêlée à ceux qui participaient au fonctionnement de l'église. Cela lui donnait un rôle autre que celui de simple spectatrice.

La messe commença et Louise se détacha de ce qui se passait autour d'elle. L'orgue avait maintenant la pression nécessaire, et une chorale chantait depuis la galerie. Le prêtre avait une belle voix de ténor et les paroissiens se levaient et s'asseyaient suivant le rythme de la messe. Au début, elle songea à une danse, puis leurs mouvements lui rappelèrent un vol d'oiseaux, s'envolant et se mouvant selon un rythme qu'elle ne comprenait pas. Elle avait à peine reconnu le prêtre quand il était apparu derrière l'autel. Sa robe de cérémonie lui donnait une grande dignité.

Le moment de la consécration passa sans qu'aucun démon danse dans les allées. Une femme à l'air anxieux lui adressa un sourire, et Louise eut honte d'avoir un jour pensé que ces gens puissent être des cannibales. Elle ferma à demi les yeux et se détendit. Elle avait l'impression de pénétrer dans un tableau. Les différentes parties de la scène commencèrent à se fractionner, perdant leur identité.

Elle se rappela la description du verre vide qu'avait faite Pieter : « des fragments de lumière. » Elle voyait des taches flottantes de couleur. Dans sa rêverie, elle s'imagina dans l'atelier, il fallait qu'elle capture ces couleurs avant que le maître ne lui donne un coup sur la tête. Elles commençaient d'ailleurs à s'unir. Était-ce une nouvelle vision, une nouvelle idée ? C'était si tentant. Elle voulut s'en saisir, mais les taches de couleur reprirent leur place, et elle se retrouva de plain-pied dans la réalité avec le sentiment d'avoir été sur le point de faire une grande découverte.

Le tumulte du matin s'estompait. Pourquoi toutes ces histoires ? Il n'y avait aucun démon ici. Si seulement Anneke était là, la musique ferait sûrement fondre la glace qui entourait son cœur. Anneke, sa chère Anneke, si honnête qu'elle était prête à affronter une émeute pour sauvegarder une vérité plus cruciale que ses préjugés les plus tenaces.

Louise fut envahie de vagues d'émotions jusque-là contenues. Elle songea à l'émeute, si brutale, qui lui semblait si triviale à présent. À Reynier, qui avait hurlé des atrocités. Pourquoi les gens se persécutaient-ils à propos de leurs croyances ? Partout dans le monde, il y avait des bûchers et des tortures. Croyants et non-croyants, protestants et catholiques, tous étaient convaincus qu'eux et eux seuls possédaient la vraie foi.

La tristesse reflua en elle comme l'eau contre une digue, puis elle la submergea tandis que des larmes incontrôlées tombaient sur sa robe.

Louise fut surprise que la cérémonie s'achève si vite. Elle n'avait même pas prêté attention au sermon. Le garçon édenté avait réapparu comme un génie. Il étudia son visage. Puis il secoua la tête avec solennité.

– Ne vous souciez pas de moi, mademoiselle Louise. J'ai l'habitude que les gens s'assoient ici, dans le fond, pour pleurer.

Il passa devant elle et se dirigea vers la porte. Louise se demanda brièvement qui d'autre venait ici pour pleurer, puis elle se leva pour sortir, heureuse d'avoir l'occasion de sécher ses larmes sans qu'on la voie.

Les paroissiens semblaient réticents à laisser partir Louise et Pieter. Ils avaient le sentiment qu'ils avaient sauvé l'église de la destruction. Louise, elle, aurait été prête à s'excuser d'avoir été la cause de l'émeute, et ce qu'elle voulait vraiment, c'était se retrouver seule avec Pieter.

Elle descendit les escaliers et regarda derrière elle, mais Pieter était toujours prisonnier de la foule. Une panique nouvelle l'étreignit. Elle repensa au long été et à son affection grandissante pour lui.

Cela avait été si simple au début : Reynier se dressait entre eux comme une barrière invisible, ni l'un ni l'autre n'avaient de raison de croire qu'ils pouvaient être davantage que de simples amis. Elle rougit en pensant à son comportement imprudent et irréfléchi. Elle s'était rapprochée de Pieter, jusqu'à avoir le sentiment qu'il lui suffisait de tendre la main pour qu'il soit sien. Jamais elle n'avait pensé qu'il ne voudrait peut-être pas être autre chose que son ami. Elle songea à l'épisode du béguinage, quand il s'était refermé sur lui-même, figé comme un canal sous la glace en hiver. Ce souvenir la tourmentait.

Elle se dressa sur la pointe des pieds, le cherchant dans la foule, portant à ses lèvres comme un talisman sa main qu'il avait brièvement tenue, après l'émeute. Et soudain elle le vit. Il la cherchait aussi. Leurs regards se rencontrèrent. Un grand sourire éclaira son visage, alors qu'un soulagement intense envahissait Louise.

Midas

Ils sortirent de l'église clandestine sous un ciel de plomb, mais Louise rayonnait. Au loin, la cloche de la Nouvelle Église sonna un unique coup. N'était-il vraiment qu'une heure de l'après-midi ? Tant de choses avaient eu lieu aujourd'hui. Ils étaient tous deux si absorbés dans leurs pensées qu'ils furent surpris d'arriver si vite au marché. Ils avaient chacun leurs obligations : Pieter devait aider Kathenka, Louise devait voir sa mère. Mais ils avaient tant à se dire, pensa Louise. Il fallait qu'ils se revoient dans la journée ; elle ne pourrait pas supporter cette incertitude plus longtemps.

— Pieter, vous souvenez-vous du chardonneret ?
Il hocha la tête.

– Eh bien, j'ai rencontré monsieur Fabritius ce matin, dit Louise. Son oiseau s'est enfui. J'ai promis que je le chercherais. Pourriez-vous m'aider?

– Je suis très occupé, vous savez.

Louise fut un instant décontenancée, mais Pieter, incapable de simuler plus longtemps, éclata de rire. Il la taquinait. Elle aurait voulu le prendre dans ses bras ici et maintenant.

– Je vous retrouverai au marché à quatre heures, dit-elle.

Il arriva alors que le dernier son de cloche résonnait, et ils marchèrent côte à côte dans les rues, désertes en ce dimanche. Instinctivement, ils suivirent le chemin menant vers les remparts qu'ils avaient si souvent empruntés cet été. Par moments ils étaient comme attirés l'un vers l'autre, et d'autres fois, comme d'un commun accord, ils gardaient leurs distances.

Louise lui raconta comment Anneke avait admis que c'était elle qui avait demandé aux apprentis de lui donner une leçon. Elle lui raconta que Reynier avait menti, pas seulement à Anneke, mais aussi à son père à propos de leurs fiançailles.

Plus Louise parlait, plus elle avait de choses à expliquer. La dissimulation dont Reynier était coupable semblait sans limite. Elle lui avoua qu'elle s'était préparée à épouser Reynier pour que les faïenceries s'unissent et que son père soit libre d'exécuter le travail qu'il aimait.

Elle considérait son comportement à travers les yeux de Pieter, et un frisson la parcourut. Il avait dû la prendre pour une petite fille gâtée qui l'utilisait pour passer le temps jusqu'à ce que son riche fiancé revienne de l'étranger. L'idée que Reynier l'ait amenée à tromper Pieter sur les sentiments qu'elle éprouvait la fit s'arrêter net. Elle se tourna vers lui.

– Pieter, dit-elle en choisissant soigneusement ses mots. Si, à quelque moment que ce soit, je vous ai témoigné des marques d'affection et de respect, sachez qu'elles ont toujours été sincères et qu'elles venaient droit du cœur. Je ne les retire pas à présent que je suis libre, je ne peux pas les retirer, elles sont à vous, quoi que vous ressentiez pour moi. Si vous voulez partir maintenant, je ne vous en empêcherai pas, mais mon affection vous suivra toujours.

Elle le dévisagea, en essayant de faire cesser le tremblement de sa lèvre inférieure. Elle lui avait ouvert son cœur. Maintenant la décision était sienne.

Pieter prit son temps pour lui répondre et quand il le fit, ce fut de manière très formelle, après s'être incliné en souriant, avec des gestes qui lui rappelèrent son père.

– Mademoiselle Louise, dit-il, je n'ai jamais eu aucun espoir. Vous devez vous rappeler que je ne suis qu'un apprenti sans ressources, alors que vous êtes l'héritière d'une grande fortune. Votre amitié est tout ce que je pouvais espérer, mais elle est pour moi une perle sans prix.

Elle le regarda et pensa : « Oui, ils se ressemblent, père et lui, pas dans leur apparence mais dans leur façon de penser. » Elle lui tendit sa main, il la saisit, et ils reprirent le chemin des remparts, côte à côte, nouvellement vulnérables après ces déclarations mutuelles.

Ils ne se lâchèrent la main que pour gravir les escaliers qu'ils connaissaient si bien. Une fois en haut, Louise contempla la ville et ses alentours. Le soleil s'était frayé un chemin à travers les nuages. Tant de choses étaient arrivées depuis qu'elle était partie furieuse de chez elle le matin même. Elle fouilla dans sa poche, et en sortit la petite fleur qu'elle avait essayé de jeter dans le canal ; elle s'était mélangée aux graines de M. Fabritius. Cette fois-ci pourtant, le canal accepta son offrande. Au-delà des champs, des vanneaux plongeaient pour chercher des larves dans le foin. Le vent était froid et Louise aurait voulu se blottir contre Pieter pour s'en protéger, mais elle se sentit subitement intimidée.

– Pieter, il faut que je vous dise… commença-t-elle et sa voix combla le fragile espace qui les séparait. Ce matin, alors que j'étais assise dans le fond de votre magnifique petite église, j'ai vécu une expérience étrange.

– J'espère que cela n'avait rien à voir avec le jeune Frans ? J'aurais dû vous prévenir.

Elle sourit.

– Oh, non, Frans et moi nous sommes bien entendus. C'était quelque chose de différent.

Personne ne travaillait dans les champs le dimanche, il n'y avait ni chevaux ni charrettes. Seules les voiles des pompes à eau qui fonctionnaient sans surveillance claquaient en remontant l'eau des champs pour la renvoyer dans la mer, d'où elle provenait.

Pieter avait les yeux à demi fermés, et Louise devina qu'il devait graver cette scène dans son esprit. C'était bon signe.

– Quand j'étais assise dans votre église ce matin, j'ai eu une vision, reprit-elle.

Pieter fronça les sourcils.

Elle continua :

– Ne prenez pas cet air inquiet ! Cela n'a rien à voir avec les saints, ni avec le petit Frans, ni avec les orgues. Alors que j'étais assise là, au fond, j'ai commencé à voir l'église, le bâtiment, les gens, même le prêtre, comme s'ils étaient un tableau. Les couleurs étaient comme les fragments de lumière de votre verre vide… Vous souvenez-vous ?

Il la regardait attentivement à présent. Elle se dépêcha de poursuivre.

– J'avais un rôle, parce que c'était à travers mes yeux que le tableau se dessinait. Vous souvenez-vous de ce qu'a dit le maître, qu'un tableau n'est jamais fini, qu'il est recréé par l'esprit de celui qui le regarde ?

Captivée par sa nouvelle idée, elle ne remarqua pas le sourire amusé de Pieter.

– Les religions sont des chefs-d'œuvre, Pieter. Des histoires, des tableaux, de la musique, de l'architecture, et tout cela est sacré…

Elle termina dans un balbutiement. Elle ignorait comment, mais Pieter avait traversé l'espace qui les séparait. Sa voix semblait pourtant lointaine quand il répéta :

– Tout cela est sacré…

Mais ce qui importait désormais, c'était la nouvelle lumière qui semblait s'élever en eux et autour d'eux, au-dessus d'eux. Elle devinait son reflet dans les yeux de Pieter et se demanda ce qu'il voyait. Mais dans son cœur elle le savait. Il la voyait jusqu'au plus profond de son être, le bon et le mauvais, et… Elle sentit ses bras l'entourer et elle leva son visage vers lui.

La dernière chose qu'elle vit avant de fermer les yeux fut un vol d'oies, haut dans le ciel bleu, formant un V parfait.

200

Leur baiser ne dura pas plus longtemps qu'une longue inspiration. Louise recula, étonnée. Dans une ville où toute marque d'affection publique était réprouvée, c'était étrange. Elle aurait voulu être seule avec Pieter ; mais ils n'avaient nulle part où aller. Regroupant ses jupes, elle se mit à descendre les marches. Parvenue en bas, elle se tourna pour vérifier que Pieter la suivait.

– Regardez ! dit-il en pointant le doigt en l'air. C'est l'oiseau de monsieur Fabritius !

Louise se retourna. Midas était à quelques mètres, perché sur une barrière.

Tandis qu'elle l'observait, Pieter tomba à la renverse du haut des dernières marches. Elle l'aida à se relever, l'épousseta, et ils partirent comme deux écoliers à la poursuite du chardonneret.

Ils le suivirent de maison en maison le long de la Oost Plantsoen, la longue route droite qui délimitait l'est de Delft. Les remparts bloquaient la vue sur le Schiekanaal et la campagne alentour. L'oiseau rasait les remparts comme s'il sentait la liberté qui l'attendait de l'autre côté. Il contourna un moulin aux ailes immobiles, empennées pour le jour de repos. Enfin il atteignit l'Oosterpoort, la porte est de la ville. Une écluse, surmontée d'une arche, permettait aux péniches de quitter le canal. Si l'oiseau voulait s'enfuir, c'était l'endroit propice. Mais ses longues années de captivité avaient fait de lui un oiseau domestique et il semblait hésiter.

– Ne bougeons pas, chuchota Louise en retenant Pieter. S'il traverse le Schiekanaal, nous ne
le reverrons jamais.

Ils évaluèrent la situation. Devant eux il y avait
l'écluse, et le chardonneret, perché sur la gout-
tière, les guettait. Derrière lui, l'Oosterpoort.
Deux tours en ardoise noire se dressaient de
chaque côté et la brique pâle de l'arche brillait
dans la lumière de fin d'après-midi.

– Je vais rejoindre le pont derrière lui, dit
Louise. Ensuite, j'essaierai de le diriger vers vous.
Il semble préférer les hommes !

Elle donna à Pieter un peu des graines de
M. Fabritius qu'elle avait récupérées dans sa
poche. L'œil fixé sur Midas, elle traversa l'écluse,
passa sous l'arche et arriva sur le pont. Des
conversations détendues lui parvenaient de la
salle des gardes. Soudain la porte s'ouvrit à la
volée avec un grand bruit et, dans un éclat de
rire, deux soldats de la garde visiblement saouls
sortirent en chancelant.

Louise vit que Pieter lui désignait les tours. Elle
arriva juste à temps pour voir le chardonneret
s'envoler au-dessus des toits.

Peut-être fut-il intimidé par la vue inhabituelle
des champs vides au-delà de la ville, car il fit demi-
tour et se percha sur la tête d'une statue dans une
niche au-dessus de l'arche. Louise n'osait pas
bouger. Elle étudia la statue : un gardien avec sa
lance, sa lanterne, son cor et son chien.

L'oiseau tenta une nouvelle brève incursion dans sa direction avant de disparaître par l'un des portails où pendaient les chaînes d'un pont-levis à présent disparu.

Louise rejoignit Pieter.

– Si nous pouvions entrer, le pressa-t-elle, peut-être pourrions-nous l'attraper !

La porte de la salle des gardes était grande ouverte. Ils s'en approchèrent. Des ronflements sonores provenaient de la droite de la pièce, où le garde de service devait digérer son rôti du dimanche, le ventre plein de bière. Leurs chaussures à la main, ils se glissèrent sans bruit à l'intérieur.

Devant eux s'élevait un escalier de pierre. Ils le gravirent quatre à quatre et ouvrirent une porte qui donnait au-dessus de l'arche. La lumière filtrait à travers une haute fenêtre poussiéreuse. Il n'y avait aucun signe de l'oiseau, mais Louise crut entendre un petit mouvement derrière les volets grossiers, installés pour empêcher les choucas d'y faire leur nid.

Elle posa ses souliers, traversa la pièce et replia les volets. L'oiseau se trouvait bien là. Il la contemplait d'un œil brillant.

Elle laissa tomber quelques graines puis elle fit signe à Pieter de fermer la porte pour que le chardonneret ne s'échappe pas. Il n'y avait désormais plus qu'à attendre.

Henk Blut, le gardien de la porte est, se réveilla brusquement au son d'un chant d'oiseau. Il crut d'abord qu'il rêvait, mais lorsqu'il secoua la tête les éclairs de souffrance qui remontèrent de son cou jusqu'à son front le convainquirent qu'il était bien réveillé. Le chant persistait. Évitant tout mouvement violent, il s'empara de son mousquet et se rendit sur le seuil de la porte. Pas de trace d'oiseau.

Quand il retourna dans le bâtiment, il entendit de nouveau distinctement le chant. Il semblait provenir de l'étage. Il grimpa les marches, leva doucement le loquet... Un rayon de soleil presque horizontal entrait depuis l'ouest, projetant un carré doré sur le mur de pierre. Perché sur une pointe rouillée, se tenait un chardonneret, la tête renversée, chantant à pleins poumons. Un petit bout de chaîne pendait à sa patte.

Henk, en bon chasseur, leva son mousquet. Mais la pensée d'une explosion dans cet espace restreint le fit grimacer et il baissa son arme. La chaîne l'intriguait, peut-être l'oiseau valait-il de l'argent ? Il scruta la chambre faiblement éclairée, à la recherche du propriétaire de ce volatile. C'est à ce moment qu'il vit le jeune couple enlacé, inconscient de sa présence et du reste du monde. Il lutta vaillamment contre son faible sens du devoir civique, et son puritanisme encore plus faible. Une demi-heure de sommeil supplémentaire lui ferait du bien, pensa-t-il.

204

Il sortit de la pièce et tira la porte derrière lui, soupirant après sa jeunesse passée. Peut-être le couple et l'oiseau se seraient-ils volatilisés quand il se réveillerait.

Ils arpentèrent des rues de plus en plus sombres. Le chardonneret était perché, l'air satisfait, sur le doigt de Pieter. En passant devant la poudrière, ils souhaitèrent bonne nuit à M. Claes.

Quand ils approchèrent de la maison de Carel Fabritius, Louise hésita à remettre l'oiseau en captivité. Et puis elle n'avait pas vraiment envie de revoir le peintre. Ils décidèrent de le libérer près de chez lui.

Pieter enleva la chaîne, et le chardonneret disparut dans l'un des grands arbres qui dominaient la maison.

Le portrait achevé

Le lapis-lazuli que Pieter avait commandé était finalement arrivé. Il soupesa le léger paquet d'une main. Il espérait qu'il serait de bonne qualité sinon il n'y en aurait pas assez et le maître aurait une nouvelle excuse pour traîner. Il ne restait plus qu'un seul pan de la robe de Louise à peindre, mais le maître était d'une humeur exécrable car il détestait finir un tableau, tout en ayant hâte d'y mettre la dernière touche.

Pieter coupa les coutures du paquet en toile et ouvrit l'emballage. Il sortit un éclat particulièrement beau qu'il tourna et retourna dans la lumière. Il sourit en se souvenant du matin où il était en train de broyer du lapis, le matin où Louise était entrée dans leurs vies. Qu'avait dit le maître alors ? « Ma seule crainte est qu'un jour une personne pénètre dans cette pièce et qu'elle soit vierge de toute vanité. »

Ce qu'il redoutait était arrivé. Et c'était son plus beau tableau.

Sur l'invitation de M. Eeden, Pieter avait rendu visite à Louise chez elle à deux reprises durant la semaine qui avait suivi l'émeute. La première fois, il avait rendu compte de l'avancée du portrait. Il s'était excusé à propos du lapis qu'ils attendaient, mais M. Eeden s'était contenté de rire et l'avait interrogé sur la manière dont ils composaient leurs couleurs. Bientôt le bégaiement de Pieter avait disparu, et son corps lui avait obéi. Il oublia qu'il parlait à un membre de la guilde et ne remarqua pas le discret sourire de Louise.

Suivant la suggestion de Pieter, la paroisse de l'église clandestine ne déposa pas de plainte à propos de l'émeute ou des dommages causés au lieu. Cependant, une donation anonyme compensa largement les dégâts. La nouvelle se répandit bientôt que le jeune Reynier de Vries prolongeait ses études à l'étranger pour une période indéfinie ; il était clair à présent que les rumeurs sur ses fiançailles avec Mlle Eeden étaient infondées. Le projet d'union des deux faïenceries demeurait cependant, causant la surprise dans la ville, mais les raisons commerciales suffisaient à la justifier.

Pieter fit tourner le lapis dans sa main et secoua la tête. Il n'avait pas envie de s'arracher à sa rêverie. La pierre était parfaite, sans incrustation de calcaire à gratter laborieusement. Il suffisait de la poser sur sa table à broyer et de la réduire en poudre. Comme il commençait ce travail fastidieux, il repensa à une suggestion de M. Eeden qui l'avait invité à observer les lunes de Jupiter la veille.

Le couvre-feu était en vigueur depuis longtemps quand Pieter avait voulu quitter la maison des Eeden, aussi avait-il attendu le passage de la garde afin de rentrer chez lui. Il se tenait dans l'encadrement de la porte, éclairé par les étoiles, quand M. Eeden avait posé la main sur son bras.

Pieter se souvint avoir été proche de le retirer, tant il était embarrassé de la qualité grossière du tissu peu coûteux.

– Vous savez, Pieter, quand le moment sera venu, votre adhésion à la guilde de Saint-Luc ne constituera pas un problème. Un protecteur se doit d'aider un jeune homme talentueux, c'est dans l'ordre des choses.

Avant même que Pieter puisse marmonner ses remerciements, il s'était trouvé poussé vers les escaliers.

– Voilà la garde. Rentrez chez vous, Pieter. Bonne nuit.

C'était typique de M. Eeden. Il avait calculé l'heure de son offre de manière à ce qu'elle coïncide avec l'arrivée de la garde pour écourter les remerciements.

Pieter leva la tête et cligna des paupières. La lumière de l'atelier avait vacillé un instant. Il regarda par la fenêtre et eut du mal à en croire ses yeux. Les carreaux sertis de plomb étaient incurvés vers l'intérieur de la pièce comme si un vent monstrueux soufflait sur eux. Au moment où il semblait inévitable que les vitres explosent, elles furent aspirées vers l'extérieur et disparurent dans un silence complet. Puis un rugissement qui semblait venir d'un animal fou s'éleva à travers le sol, enfla encore et encore, et Pieter, qui s'était instinctivement jeté sur ses précieuses pierres, s'aperçut qu'il hurlait.

Quand le vacarme cessa, il regarda au travers des fenêtres sans vitres. Des débris de toutes sortes tombaient du ciel. Il parcourut l'atelier du regard ; il y avait certainement quelque chose à sauver. Le portrait de Louise avait été renversé de son chevalet. Il traversa l'atelier pour le redresser et contempla, incrédule, Louise plus vivante que nature qui le dévisageait.

Soudain sa gorge se serra. Le phénomène, quel qu'il fût, était arrivé si vite et si violemment qu'il n'avait pas eu le temps d'y réfléchir. À présent que sa raison revenait, il comprenait l'ampleur du désastre. Il dévala les escaliers en trébuchant, pénétra dans l'auberge où des clients abasourdis s'agrippaient à leur chope de bière.

Il se précipita à l'extérieur, évita la pluie de débris en passant à côté de la Nouvelle Église dont les ardoises tombaient, tranchantes comme des cimeterres. Il tourna vers le Doelen et le quartier où se trouvait la maison de Louise Eeden. Là il découvrit une vision de cauchemar. Un mur de décombres s'élevait à l'endroit où se tenaient les remparts. Il l'escalada tant bien que mal et se redressa au sommet, essayant de comprendre. Attirés comme par le point de fuite d'un tableau, ses yeux se fixèrent sur une vaste cavité fumante de cinq mètres de profondeur, sur le site de la poudrière.

L'esprit de Pieter appréhendait à présent ce que son corps savait depuis qu'il avait regardé le tableau.

Louise était morte.

Dans le Ciel de Delft

La jeune âme de Louise Eeden s'attardait au-dessus de Delft, figée entre l'idée du Paradis la surplombant et l'Enfer bien réel en contrebas. Sa première pensée fut qu'elle vivait là une expérience inédite qu'elle aurait voulu partager avec son père. Elle était fascinée d'observer de si haut une ville qu'elle connaissait par cœur.

L'épais voile de fumée et de cendres qui avait recouvert Delft après l'explosion commençait à se dissiper, révélant à Louise, impassible, l'étendue des dégâts. Elle reconnut la place du marché, où des cascades d'ardoises tombant bruyamment du toit de la Nouvelle Église s'amoncelaient. Mais où étaient passés le terrain de tir et les arbres majestueux qui l'ombrageaient ? Et où se trouvait sa maison ?

Incrédule, elle s'aperçut qu'elle n'aurait même pas pu dire où elle s'était dressée. C'est seulement lorsqu'elle vit le trou profond à la place de la réserve de poudre qu'elle comprit.

Où était-elle censée aller à présent ? Qu'était-elle censée faire ? Elle leva les yeux vers la voûte céleste. Elle sentait des présences autour d'elle, des âmes probablement. Certaines donnaient l'impression de savoir exactement où elles se rendaient et d'autres, comme elle, se contentaient de se laisser dériver.

Soudain une présence plus forte que les autres se dirigea vers elle. Cette âme avait un but précis ! Anneke, bien sûr, il s'agissait d'Anneke ! Qui d'autre aurait pu ainsi conserver son identité dans un moment pareil ? Elle pouvait la voir, maintenant, illuminée par sa foi inébranlable. L'heure était enfin venue pour elle de connaître la béatitude qu'elle s'était interdit d'éprouver sa vie durant.

Quand elle vit Louise, Anneke hésita, prête, même en cet instant, à sacrifier sa félicité pour guider sa jeune protégée sur le chemin de la vertu.

– Va, Anneke, va ! lui cria Louise. Il t'attend, ma chère Anneke.

Après lui avoir adressé un dernier regard plein d'amour, sa vieille nourrice disparut comme une étoile filante dans le ciel.

Louise se demanda si elle aurait dû la suivre. Mais qu'aurait-elle fait au Ciel? Elle avait une conception de Dieu et du Paradis si différente de celle d'Anneke. La solitude s'empara soudain d'elle et, comme une enfant, elle éprouva le besoin impérieux de retrouver sa mère. Où était-elle? Sa gorge se serra, elle était sûrement morte, elle aussi! Louise chercha autour d'elle, éperdue.

– Où êtes-vous, mère? Où êtes-vous?

Tout à coup, comme en réponse à son appel, un souvenir s'imposa à elle. Louise n'était encore qu'une petite fille, étendue sur la berge d'un canal, quand elle avait pour la première fois respiré le parfum des primevères sous les yeux de sa mère, souriante. C'était l'idée que cette dernière se faisait du Paradis, comprit soudain Louise. Et à présent, loin au-dessus de Delft, elle huma à nouveau le parfum des primevères. Elle ouvrit grand les bras et sentit la présence de sa mère tout autour d'elle. Cela lui ressemblait de laisser son âme s'échapper sous la forme d'un parfum dans l'air, de laisser son amour s'étendre puis se dissoudre jusqu'à ce que le dernier des atomes la composant ait disparu et qu'elle soit ainsi présente partout et nulle part à la fois.

– Au revoir, mère, chuchota Louise au vent.

Louise se doutait désormais de l'endroit où se trouvait son père. Il devait être au côté de Dieu, manches retroussées, travaillant, invisible, parmi les victimes et les sauveteurs, dans la pestilence du désastre.

Devrait-elle les rejoindre ? Ne risquerait-elle pas de les distraire de leur mission ?

Elle aurait eu envie de se réfugier auprès de Pieter. Le serrer contre elle, l'aimer et ne faire plus qu'un avec lui, comme elle n'en avait pas eu l'occasion de son vivant. Mais elle n'était plus qu'esprit, dorénavant, et sa présence auprès de lui ne ferait qu'augmenter la douleur du garçon. Elle allait bientôt s'estomper, disparaître...

Soudain elle sut : son portrait était le seul endroit où elle conserverait son identité. Elle se souvint du maître s'exclamant, triomphant : « Regarde, Pieter... Elle vit ! »

Oui, c'était là qu'elle devait se rendre. Là elle serait proche de Pieter, et elle continuerait à vivre dans son cœur quelque temps. Et ensuite, peut-être, bien plus loin sur la rivière du temps, pourrait-elle continuer à exister dans le cœur et l'esprit d'autres personnes, qui apprendraient à la connaître en contemplant son portrait.

À propos de
La fiancée à la robe verte

Bien que Louise Eeden, sa famille et Pieter soient nés de mon imagination, certains des personnages et des événements cités dans ce roman ont vraiment existé, et j'ai fait en sorte que l'histoire de Louise se déroule dans un cadre historique et géographique crédible.

Le touriste contemporain arpentant la petite ville hollandaise de Delft pourra contempler la place du marché, et s'imaginer la vue qu'il en aurait de l'atelier du maître. La Nouvelle Église est dotée d'une nouvelle flèche, mais la tour de l'Ancienne Église est toujours inclinée, exactement comme à l'époque de Louise.

La porte du béguinage – où se tenait le mendiant – et la statue de l'Oosterpoort représentant un garde et son chien, où le chardonneret enfui trouve refuge, sont toujours là, bien qu'elles aient l'une et l'autre été abîmées par trois siècles et demi d'émanations provenant des ateliers de faïencerie. Les hauts remparts qui entouraient Delft ont été abattus il y a bien longtemps, et l'air et la lumière que Louise aimait tant circulent à présent librement dans la ville.

Autrefois, l'activité principale de Delft était la brasserie. Quand cette activité a décliné, les habitants se sont tournés vers la faïencerie et ont produit tasses, carafes, assiettes et carreaux blancs aux motifs bleus. Ils représentaient généralement des scènes typiques de la région et, encore de nos jours, les moulins à vent ornent les objets souvenirs. Certains artistes copiaient aussi des motifs chinois délicats d'une grande beauté. Dans notre histoire, le vœu le plus cher du père de Louise est de consacrer son temps à ce type de travail.

Les artistes devaient appartenir à la guilde de Saint-Luc – la guilde des artistes et artisans – afin d'être autorisés à vendre leur production ou à former des apprentis. La guilde accueillait des potiers mais aussi des tapissiers, des souffleurs de verre, des libraires et des peintres. L'adhésion à la guilde avait un prix. Aussi quand le père de Louise offre à Pieter son intégration à la guilde, ce n'est pas seulement une marque d'approbation, c'est aussi un moyen de l'aider à progresser dans sa carrière.

À l'époque du roman, Delft et l'ensemble de la Hollande connaissaient une période d'activité artistique sans précédent, due en partie à la richesse immense que le pays tirait de ses colonies d'Indonésie et d'Extrême-Orient. Commander une œuvre d'art permettait d'investir tout en faisant preuve de bon goût, et les fiançailles étaient souvent l'occasion de faire exécuter le portrait du couple ou de l'un des fiancés.

À Amsterdam, et bien que sa situation financière soit pour le moins précaire, Rembrandt était à l'apogée de son art, mais Delft comptait deux artistes au moins auxquels M. Eeden aurait pu s'adresser pour le portrait de Louise. L'un d'eux était le jeune Johannes Vermeer, qui venait tout juste d'intégrer la guilde, et le deuxième était Carel Fabritius, le séduisant voisin des Eeden dans le roman. On peut voir au Rijksmuseum d'Amsterdam un autoportrait de Fabritius, dont je me suis largement inspiré pour décrire le personnage. Son chardonneret a véritablement existé. Fabritius l'a peint et le tableau est exposé au musée royal Mauritshuis de La Hague, à quelques kilomètres à l'ouest de Delft, à côté du célèbre paysage de Vermeer représentant une *Vue de Delft*.

Il semble à présent évident que Vermeer a utilisé une camera obscura[1] pour parvenir à un tel degré de réalisme dans ses peintures. Néanmoins d'autres artistes, parmi lesquels Rembrandt et Rubens, n'utilisaient pas d'instruments optiques. Il m'a semblé que le personnage de maître Haitink appartenait plutôt à la seconde catégorie, et qu'il aurait travaillé à l'œil nu plutôt qu'en se servant d'instruments. Je me suis appliqué à donner les détails les plus exacts possibles sur les techniques picturales et la composition des couleurs.

En dépit de la sévérité du calvinisme, les Hollandais étaient tolérants vis-à-vis des autres reli-

1. Une chambre noire (en latin camera obscura) est un instrument optique objectif qui permet d'obtenir une projection de la lumière sur une surface plane, c'est-à-dire d'obtenir une vue en deux dimensions très proche de la vision humaine.

gions et des libres-penseurs. Dans de nombreuses villes, les catholiques étaient libres d'exercer leur culte à condition de le faire en secret. Des églises clandestines étaient construites dans des greniers auxquels on n'accédait que par des allées discrètes, loin des rues les plus fréquentées.

Il est cependant presque certain qu'il n'y avait pas d'église catholique clandestine à Delft en 1654. En effet, Vermeer a dû quitter la ville pour se convertir au catholicisme à l'occasion de son mariage en 1653. L'église que j'ai inventée pour le roman est une version réduite d'une superbe petite église clandestine construite dans un grenier d'Amsterdam, dans le quartier d'Amstelkring, et désormais ouverte au public. On peut y voir le presbytère tel qu'au XVIIe siècle. Non loin se trouve la maison de Rembrandt, dont je me suis inspiré pour la visite du père de Louise au grand artiste et aussi pour créer le cabinet de curiosités de maître Haitink.

Plus au nord se trouvait le quartier juif, où le père de Louise rend visite à Spinoza. Baruch Spinoza deviendra l'un des plus grands philosophes de tous les temps mais, en 1654, il était encore jeune et gagnait sa vie en polissant des lentilles. En m'appuyant sur le fait que les idées existent généralement bien avant d'être couchées sur le papier, il exprime des théories qu'il ne développera que plus tard. Spinoza est mort en 1677 à l'âge de quarante-quatre ans ; l'inhalation régulière de poussière de verre à laquelle il fut exposé dans sa jeunesse a sûrement contribué à sa disparition précoce.

L'explosion connue sous le nom de « coup de tonnerre de Delft » est un fait historique. Je me suis inspiré des descriptions graphiques de Dirck van Bleyswijck, datant de 1667. Van Bleyswijck rapporte que plus de deux cents maisons ont été détruites par cette explosion, dont la force a « coupé à ras de terre les arbres énormes du Doelen ». Il ne précise pas le nombre des victimes, mais Carel Fabritius, alors âgé de trente-deux ans, a trouvé la mort à cette occasion.

Je me suis appuyé sur de nombreuses sources pour écrire le roman. PTA Swillens, dans *Johannes Vermeer, Painter of Delft 1632-1675*, fournit un grand nombre d'informations sur l'histoire locale et les techniques picturales de l'époque. *Vermeer*, de John Nash, publié par le Rijksmuseum d'Amsterdam, est plus récent et merveilleusement illustré. Quiconque s'intéresse aux techniques optiques utilisées par Vermeer et par d'autres artistes au fil des siècles devrait lire *Savoirs secrets : les techniques perdues des maîtres anciens*, de David Hockney. Dans *Les Yeux de Rembrandt*, Simon Schama fait une description perspicace de l'art de Rembrandt, qui a servi de modèle au personnage du maître. Enfin *Europe, A History*, de Norman Davies, ne quitte jamais mon bureau.

Aubrey Flegg

TABLE DES MATIÈRES